KB103980

당신의 공간은 건강합니까?

_질병의 공간화와 건축 도시 공간 분석

당신의 공간은 건강합니까?

발　행 | 2024년 07월 08일
저　자 | 정태종
펴낸이 | 한건희
펴낸곳 | 주식회사 부크크
출판사등록 | 2014.07.15.(제2014-16호)
주　소 | 서울특별시 금천구 가산디지털1로 119 SK트윈타워 A동 305호
전　화 | 1670-8316
이메일 | info@bookk.co.kr

ISBN | 979-11-410-9382-2

www.bookk.co.kr
ⓒ 정태종 2024

당신의 공간은 건강합니까?

정 태 종 지음

CONTENT

프롤로그

의학의 탄생과 발전

의학은 인류의 역사와 함께 한 경험과학의 대표 분야이며 일반과학이 발전함에 따라서 독자성을 지닌 과학으로 발전하여 인체에 관한 연구와 질병의 예방 및 치료를 연구하는 학문이라고 정의한다1). 의학에 대한 개념은 시대와 사회에 따라 계속 변화해 왔고 현대 사회에서는 기능적이며 사회적 개념으로 정의하면서 인간에게 생리적, 심리적, 사회적으로 최적의 상태를 제공하고 유지하기 위한 학문으로 해석되기도 한다.

한국학술진흥재단의 학술연구 분야의 분류2)에 의하면 의약학은 학문 분야의 가장 상위 대분류에 해당하는 학문 분류이며 의약학 대분류에는 크게 의학, 치의학, 수의학, 간호학, 한의학, 약학으로 6가지 범주의 학문이 포함되어 있으며, 이 중 의학의 경우만 중분류 학문이 각각 독립되어 있다.

의학은 인체의 구조와 기능을 파악하여 인체의 질병이나 상해의 치료 및 예방에 관한 방법과 기술을 연구하는 학문이며 크게 기초의학, 임상의학, 사회의학 등으로 나뉠 수 있다3). 현대의학은 여러 기준에 의해서 분류할 수 있는데 기초의학과 임상의학으로 나누는 것이 일반적이다4). 해부학, 생리학, 생화학, 병리학, 약리학, 미생물학, 기생충학 등이 기초의학으로 분류되며 이러한 학문들은 주로 실험실적 연구를 통해서 인체와 질병의 원인에 대한 성질을 이해하고 상호작용을 규명하여 의학의 이론적 토대를 만드는 것을 목적으로 한다. 이와는 다르게 내과학, 일반외과학, 산부인과학, 소아과학 등은 임상의학으로 분류되는 학문으로 기초의학의 이론적 도움을 받아 실제 환자를 진료하면서 확보하는 여러 임상자료의 분석을 통해 인간의 질병이나 손상을 직접적으로 진단하거나 치료하는데 필요한 연구를 시행한다.

기초의학은 의학의 기본교육 및 연구 분야로서 인간을 대상으로 하고 인간을 위한 학문이라는 의학의 특수한 사명과 목표를 전제로 하고 있다. 인체에 관한 연구인 의학이 이러한 목표와 사명을 성취하기 위하여 생명과학과 생명체에 미치는 물질의 영향에 관한 자연과학과 연결하면서도 독자적인 연구영역을 구성하고 있다. 종교와 철학에서 벗어나 유물론적 기계론 속에 정체성을 확립한 19세기 의학에서 기초의학은 주로 생물과학으로 구성되어 있었다. 그러나 20세기 초반에 의학교육에서의 인간에 관한 총체적 교육의 필요성이 제기되면서 의학사상사를 중심으로 한 의학서설교육을 포함한 의학개론이 도입되었고, 20세기 중반부터 사회의학, 의심리학적 연구성과에 대한 교육과 연구가 행태과학, 행태의학의 형태로 기초의학에 포함되기 시작하였다.

임상의학은 환자를 직접 대상으로 하는 진단학이고 치료학이며 예방학이다. 기초의학의 연구성과가 환자의 병을 이해하고 치료하는 데 중요한 토대를 이루고 있으나, 반대로 환자에 대한 임상적관찰과 연구가 새로운 진단법과 치료법의 개발에 크게 이바지하여기초의학 연구에 자극을 주는 사례도 있다. 그런 의미에서 기초와임상의학은 서로 긴밀한 관계 속에서 교육과 연구를 진행되어야라며 학문연구의 발달은 기초의학과 임상의학의 경계를 없애기 시작했다. 이와 같은 경향은 의학교육에서도 질병이나 문제 해결 단위로 기초학문과 임상의 통합 강의가 진행되어 이른바 기초-임상의 통합을 만드는가 하면 연구뿐 아니라 임상진료에서도 긴밀한협력이 이루어지고 있다[5].

예방의학은 위의 네 가지 중심 즉 건강유지, 질병예방, 질병완화 및 질병치료 중 특히 건강유지 및 질병예방 두 가지의 목적을 겨냥하는 의학의 한 분야다. 웹스터 사전에서 보면 의학을 인간의 건강유지와 질병의 예방, 완화 및 치료를 다루는 과학(Science)이며 기술(Art)로 정의하고 있다[6]. 질병예방과 건강유지의 관심은원시시대로부터 유래되고 있지만, 구체적인 지식이나 방법은 다분히 그 시대의 질병 양상과 질병 원인의 관점에 의해 영향을 받아왔다. 예방의학에 대한 인식이나 학문의 내용도 시대에 따라 바뀌고 있다. 예방의학이 학문화되기 시작한 것은 17세기 중반 이후부터 시작한 역학과 18세기 말부터 19세기에 걸쳐 주요한 사회운동의 하나로 이루어지는 공중위생운동, 그리고 19세기의 세균학 및 산업보건의 발전과 더불어 이루어졌다.

　　과거 전염병 시대에서의 예방의학은 다른 어떤 학문 분야보다도 각종 병원성 세균이 발견되기 훨씬 이전부터 전염병 예방에 큰 역할을 해왔다. 그러나 20세기 후반에 들어서면서 인류의 질병 양상은 크게 변화하였으며 특히 미생물학의 발전은 감염성 질환에 대하여 예방접종과 같은 효과적인 방어수단을 제공하였다. 또한, 항생제와 같은 약품이 나오면서 전염병에 의한 희생은 많이 감소하게 되었다. 얼마 전까지만 해도 한국에서는 예방의학은 과거 위생학 또는 공중보건학과 혼용되어 인식되었다. 따라서 환경위생, 유행성 전염병의 관리, 산업보건과 지역보건사업 그리고 보건행정 등등이 예방의학에서 다루는 내용이었다. 이는 예방의학의 학문적 발달과정과 당시의 질병의 상황을 고려하면 당연한 진화과정이라 할 수 있다.

　　최근 예방의학은 새로운 전환기에 놓여있다. 예방의학의 학문적인 바탕이 되어 온 역학, 보다 구체적이고 직접적인 질병예방 사업을 제공하여 온 환경 및 산업보건, 그리고 집단적이고 조직적인 접근을 통하여 건강유지 및 증진을 추구하여 온 공중보건의 세 영역으로 분화하면서 발전하고 있다. 과거 세 영역은 예방의학이라는 큰 테두리 안에서 주로 전염병 관리 또는 특정 보건사업을 수행함에 상호보완적인 기능과 역할로서 엮어져 있었으나 질병의 종류가 다양해지고, 타 분야 의학지식의 급속한 발전과 건강증진을 위한 의료 외적 수단이나 접근방법의 개발 등은 학문발전의 자연적 추세인 영역별 세분화가 진행하게 된다. 현재의 예방의학은 세 영역이 각기 독자적인 학문적 이론과 기술을 정립해 나가는 분화 과정에 있다고 할 수 있다[7].

산업혁명 이후에 겪게 되는 많은 사회적 보건문제들은 공중 보건사업의 필요성을 더하였다. 공중위생 운동의 선구자인 리차드 슨의 노력으로 영국에서는 1857년 최초로 음료수를 여과하는 법이 제정되었고, 이를 시작으로 본격적인 공중보건활동이 활발하게 되 었다. 이후 공중보건학으로 발전하였는데 사회제도 또는 보건의료 제도를 개선하고 이를 통하여 국민 전체의 건강과 질병 관리를 하 는 학문이다.

20세기에 들어와서는 의료비의 폭등과 같은 의료경제 문제가 대두됨으로 하여 거시적인 질병 예방 또는 건강보존을 위하여는 국가의 간섭이나 사회적 제도개선이 더욱 필요하게 되어 공중보건 학은 의료관리학, 사회의학, 병원관리학, 또는 의료경제학 등과 같 이 더욱 세분화되고 전문화되었다. 한국은 1980년대 이전까지는 보건행정, 보건교육, 모자보건, 보건영양, 가족계획 등의 공중보건 학 내용이 예방의학 안에서 다루어져 왔다[8]. 그러나 1980년대 이 후부터는 의료제도와 질병 양상의 변화로 말미암아 기존의 공중보 건학에는 보건의료행정뿐 아니라 의료경제, 의료보험을 비롯한 의 료보장, 병원관리 등의 내용이 보강되면서 새로운 학문 분야로 발전하게 되었는데 의료관리학 또는 사회의학으로 불리고 있다.

근현대 의학의 탄생

현대의학은 진료나 수술과 같은 임상의학뿐만 아니라, 해부학이나 병리학 등의 기초의학, 사회적 요인에 의한 건강 장애에 관심을 가지는 사회의학 등 다방면의 분야를 아우르고 있다. 고대의 의사는 의약을 다루는 의사였을 뿐 아니라 동시에 주술과 예언을 하는 사제의 역할을 행한 사람으로 원시사회 공동체의 총체적 치료자이었으며 고대 문명기에서는 의료와 종교가 분리되기 시작하면서 의료의 세부 전문분야가 일찍부터 나누어지게 되었다.

자연과학적인 의학이 기원 수 세기 전부터 고대 그리스를 중심으로 대두되자 인체의 구조와 기능, 병의 이치에 대한 이론, 즉 학문으로서의 의학과 실지 환자의 치료기법, 즉 기술로서의 의료가 구분되기 시작하였다. 인체에 관한 이론과 임상은 이후로 의학의 양대 중심 경향과 흐름이 되면서 서로 교차해 왔다. 이론이 우세하다 보면 나중에는 경직된 독단론이 되어 자유로운 관찰과 경험을 통한 실제 임상 진료를 제약하고 의술을 이론의 틀 속에 가두는 결과가 되었다. 이러한 경향이 계속되면서 임상적 관찰과 경험적 치료의 필요성이 제기되어 실용적 의술이 강하게 되고 이론적 독단론을 깨뜨리는 과정이 반복되었다. 이런 경향은 스콜라철학이나 주자학이 의학 이론을 지배하던 시대에 특히 강했다.

르네상스 이후 실증과학과 실험정신이 발달하면서 의학은 철학에서 완전히 해방되어 자연과학적 기반을 튼튼히 하였다. 물리와 화학 등 기초과학의 눈부신 발달과 기계의 발명에 힘입어 19세기 이래 인체에 관한 지식이 증가하고 병의 원인과 성질에 대한 규명이 다양해지자 의학연구는 수많은 분야로 세분될 수밖에 없게 되었다. 세부분야는 임상의학의 기본이라는 뜻에서 기초의학이라 지칭되어 의학의 기본교육단위를 이루게 되었다. 기초의학과 임상의학의 구분은 고대 그리스 의학교육의 학풍에서 싹터 온 것이라 할 수 있지만, 히포크라테스, 갈레노스 등 그리스, 로마의 당대의 훌륭한 의사들은 해부, 병리, 생리학의 연구뿐 아니라 실지 임상관찰을 통한 환자의 진료를 함께했으며 철학, 천문학, 수사학의 교양을 쌓은 사람들이었다.

18세기에는 분류의학자들의 노력도 지속하였으나 임상적 관찰의 중요성이 어느 시대보다 강조되었다. 그러한 경향의 대표인 라이든 대학은 병상 교육을 중심으로 하는 의학교육을 본격화하였으며, 그의 가르침을 받은 유럽 여러 나라와 미국 출신의 학생들은 자신들의 나라에 그러한 방식을 퍼뜨리는 전도사의 역할을 하였다. 그렇지만 근대적인 성격의 병원은 아직 태어나지 않은 상태였다. 의학의 중심지, 즉 의사들의 주요한 진료와 연구장소는 여전히 환자들의 집이었다. 의사들은 시나 교구 등에 고용되어 빈민환자들을 돌보는 일도 있었지만, 자신과 신분이 비슷하거나 지위가 높은 부유층을 대상으로 왕진진료를 하는 것이 주된 일과였다. 의사들은 그러한 경험을 통해 자신의 진료기술을 개발하고 연마하였다. 따라서 환자와 의사의 관계도 특별한 예외를 제외하고는 대등하거나 환자가 우위를 차지하는 경우가 많았다.

그러한 상황이 급격하게 변화하기 시작한 것은 구체제 말기의 혼란과 대혁명의 격동을 경험하던 프랑스에서였다. 낡은 질서가 해체되던 무렵 농촌경제의 파탄으로 파리 등의 대도시로 밀려든 농촌인구는 빈민층을 형성하였고 종래의 구빈원이나 빈민수용소는 빈민들과 부랑인들로 넘쳐 나게 되었다. 당시 프랑스 의학은 결코 주도적이지도 선진적이지도 않았고 오히려 낡은 의학 체계를 고집하는 등 퇴영적인 모습이 많았다. 그러나 불과 한 세대를 거치기 전에 프랑스는 유럽 의학을 주도하게 되었을 뿐만 아니라 근대의학의 전체 모습을 일신시키는 역할을 해내게 되었다. 소위 파리 임상 학파가 나타났다. 이제까지 주로 빈민을 수용하는 구실을 하던 구빈원(hôpital)[9]은 당시 끊임없이 생겨나던 빈민환자를 진료하는 근대적 의미의 병원으로 성격이 변화하게 되었다. 대다수의 중산층까지 이용하는 본격적인 진료기관이 된 것은 그보다 훨씬 뒤인 19세기 후반부터의 일이지만 병원의학이라는 새로운 시대의 막이 열리게 되었다.

비샤(Xavier Bichat)는 짧은 동안의 수많은 부검경험을 통해 모르가니의 기관병리학을 조직병리학으로 발전시켜 질병이 신체 내의 일정한 곳에 자리를 잡는다는 병리학적 견해를 확고한 반석

위에 올려놓았다. 자신의 의학 이론을 확립하기 전 31세의 나이로 요절한 비샤의 임상과 부검경험 등은 브루세(François Joseph Victor Broussais)에 의해 체계화되었다. 브루세는 1816년 통용되고 있는 의학의 일반원리에 대한 검토에서 증상 대신 병변이 의학의 중심이 되어야 한다며 국소병리학, 즉 비샤의 조직병리학을 철저하게 내세웠다.

임상의학의 시대가 열렸다는 사실은 단순히 주거에서 병원으로의 진료 장소 변경만을 뜻하는 것이 아니었다. 여러 명의 의사가 한 장소에서 많은 수의 다양한 환자들을 진료하게 됨으로써 의사 개개인의 산발적이던 경험이 집중되어 의학발전에 촉매 역할을 하게 되었다. 종래의 환자-의사 관계가 역전되는 계기가 되었으며 의료활동에 필요한 새로운 지역을 창출하는 조건이 마련되었다는 측면도 내포한다. 20세기에 들어 더욱 뚜렷해지는 현상이지만 병원이 거대화함으로써 관리, 운영, 유지를 감당할 수 있는 국가와 대자본 등이 의료에 개입하는 매개물로서 작용하게도 되었다.

독일이 19세기 후반의 의학을 주도할 수 있었던 것은 프랑스나 영국과는 달리 기초과학을 장려하고 의과대학의 교육과정에 기초과학을 적극적으로 도입했던 데에 기인한 것으로 의학사가들은 평가하고 있다. 독일의 새 세대 의학자들은 파리 임상학파들로 대표되는 기존의 의학 체계에 만족하려 들지 않았다. 이들 의학의 개혁가들은 병적 상태를 기능적으로 그리고 정량적으로 이해해야 하며, 그러한 일은 진료실이나 병상이 아닌 실험실에서 이루어질 수 있다고 생각하였다. 실험실 의학 시대의 막이 올라가고 있었다. 독일 내에서만 실험실 시대를 열게 되는 구체적인 성과가 얻어진 것은 아니었다. 베르나르의 실험생리학 연구나 파스퇴르에 의한 세균학의 확립은 프랑스에서 이루어졌다. 그러나 질병 연구와 진단의 장소를 실험실로 옮기는 데 주도적인 역할을 한 것은 독일의 의학자와 과학자들이었다는 사실을 부인할 수는 없다. 여러 기초과학 분야의 많은 발견이 그러한 과정을 촉진하였다. 의학의 중심이 실험실로 옮겨지는 경향은 20세기에서 가속화되었다. 실험실은 단순히 과학자 개인의 연구실만 뜻하는 것이 아니다. 병원의 검사실과 실험실에서 환자 진료와 관계되는 많은 일이 행해지고 있으며, 대학과 제약회사와 의료기기 회사 등의 수많은 연구실에서 의학상의 새로운 발견이 이루어지고 있으며 연구실들을 통해 국가와 민간의 자본이 의학에 개입하고 있는 것이다[10].

질병의 공간화

푸코의 사유는 사회 속에서의 공간에서 벌어지는 감금, 배제, 질병, 권력, 통치성을 관리하게 되는 공간과 배치의 문제에 집중한다. 이것은 언표-비언표[11]에 가르고 시선화하는 공간의 문제이며 근대사회의 의학 분야는 인체를 속속히 볼 수 있다는 믿음 아래 시각적 지식과 언어 차원의 결합에서 임상의학적 사건이 일어나는 것을 바탕으로 한다.

질병의 공간화는 그 질병이 진짜 존재하기 때문에 병에 걸리는 게 아니라 인식하기 때문에 질병이 되는 것이라는 인식의 문제를 제기한다. 공간화는 모든 의학적 시선에 앞서 무엇을 질병으로 인식해야 하는지 결정해주는 개념이다. 푸코는 우리는 어떤 것을 질병으로 보는가? 라는 질문과 역사적으로 어떻게 의학 담론이 형성되었는가에 관한 문제를 제기한다. 그리고 언어가 중립적인 위치에 있지 않다고 생각하고 언어에는 항상 해석된 상태가 있을 뿐이며 언표들의 차이와 유사성을 두고 인식하면서 지식의 배치를 파악한다. 언어는 늘 공간화와 관련된다. 명명해야 위치시킬 수 있어서 언어와 공간이 밀접한 관계가 있으며 명명할 수 있으므로 볼 수 없는 차원이 아닌 것을 보이게 만든다는 것이다.

푸코는 특정한 역사 심층의 시간에 대한 공간 속에서 사건의 조건을 따진다. 질병과 가시성과 연결하면서 공간화해서 특수한 위치를 만들어내면서 질병을 드러내 보이며 근대 임상의학자인 실증적인 언어를 통해서 치료를 대상화시켰다. 푸코가 19세기에 시작된 임상의학이 갖는 실증적 과학이라는 새로운 언어를 살펴보는 것이 필요하다고 한 것은 언어가 사물을 포착하려는 순간부터 끊임없이 새로운 담론 속으로 끌어들여 대상의 모습을 변질시키려 하는 언어적 횡포, 즉 의학적 언어가 질병을 포착하려는 순간부터 우리의 몸과 건강은 끊임없이 새로운 담론으로 들어가며, 처음의 구상과는 달리 우리의 삶의 지형들이 변화하고 문턱을 넘어 다른 질의 삶을 살게 된다.

푸코는 임상의학의 탄생에서 18세기 말 변화하기 직전의 고전주의 시대 의학적 담론을 살펴보고 변화하는 임상의학을 찾아 의학에서 공간의 개념을 바탕으로 질병을 세 가지로 나누어 구분하고 이를 질병의 공간화라고 한다. 푸코는 질병의 공간화를 통해 다양한 층위인 의학 속의 질병인 질병과 질병과의 관계인 1차 공간화, 몸에 자리 잡은 질병 즉 질병과 육체적 공간과의 관계인 2차 공간화, 사회집단 속에 존재하는 질병 즉 질병과 사회와의 관계인 3차 공간화 등 인문학적 인식의 틀을 적용하여 분석하였다.

한국 치과분야 질병의 공간화

치과분야는 의과분야보다 개인과 사회의 예방과 공중보건정책의 중요함이 강조되는데 이것은 하버마스의 공공성을 기반으로 나타나는 의료의 공공성과 건축의 공공성이 발현되는 공간이 된다. 의과분야에서 질병의 사회 문화적 영향력에 관한 문제는 주로 급성으로 발생하여 단기간에 막강한 영향력을 줌으로써 사회적인 문제를 발생시키는 전염병에 관한 것이라면 치과분야는 치아우식증과 치주질환같이 만성적으로 서서히 사회에 영향을 미치며 이를 방지하기 위한 예방도 구강검진, 상수도 불소화 등 전문가와 정부의 상호협조가 필요하며 지속적이어야 한다.

공공성의 사전적인 의미는 한 개인이나 단체가 아닌 일반 사회 구성원 전체에 관련되는 성질이며 사회구성원 일반에게 공익을 제공하고 그 양을 증가시키는 것을 의미하며 이러한 공공성은 민간과 국가의 협력에 의해 구현된다. 공공성 중 보건의료의 공공성은 인권으로서의 건강과 국민의 권리로서 건강, 시민의 권리로서 건강권을 보장하는 것이며 사회적 제도로서 사회구성원 모두의 건강권 실현이라는 공익에 목적을 두게 된다. 그러나 한국 보건의료 전달체계에서 민간 위주의 의료공급과 국가규제로 인한 의료체계의 불안정성은 저부담-저수가-저급여의 한국 건강보험제도로 더욱 증가하게 되었고 치과분야는 다른 분야보다 높은 비급여의 부담으로 의료공공성이 퇴색되어 가고 있다.

한국의 치의학은 1885년 서양 치의학의 도입 이후 기초분야와 임상분야에서 크게 발전하여 현재에 이르고 있다. 인체에 관한 기초적인 이론지식과 치과진료의 임상지식이 결합하여야 하는 치의학 지식의 중심공간이며, 한 사회의 치의학을 평가하는 기준인 기본적인 연구와 진료능력을 갖춘 치과의사의 양성에 있어서 가장 중요한 역할을 하는 공간이 치과대학/치의학대학원과 치과병원이다. 이러한 치과공간들은 교육체계로 인하여 대학캠퍼스와 연결되어 위치하나 캠퍼스 내 교육공간이 주공간인 분야들과는 다르게 교육체계와 병원체계 두 영역의 영향을 받으며 서로에게 불가분의 관계가 된다.

대학캠퍼스의 시설분류에서 대학 내 의학 계열의 부속시설인 부속병원은 내부인들뿐만 아니라 외부 방문자의 지속적인 사용이 이루어진다. 그러므로 교육시설이면서 공공시설의 역할을 하는 치과대학/치의학대학원과 치과병원의 입지와 배치는 사용자들에게 큰 영향을 줄 수밖에 없다. 치과공간이 독립공간이 아닌 모캠퍼스 내에 위치하거나 별도의 의학캠퍼스를 형성하는 경우는 더욱 복잡한 공간의 배치관계가 이루어진다. 이러한 공간들은 도시와 사회의 변화에 따른 영향을 받으며 발전하고 내부에서는 환경-행동 이슈들인 공간의 사회적 논리, 개인의 조절과 스트레스, 규범적 기대 등이 서로 연결되어 나타난다[12]. 그중 공간의 사회적 논리에서 힐리어와 핸슨은 사용자 부류를 설정하고 공간을 분석하였는데 병원은 다른 공간과는 다르게 방문자인 환자와 이방인이 거주자의 역할을 하게 되어 방문자와 거주자의 관계가 역전되는 공간으로 설명하였다[13].

의학과 건축학의 관계

기초학문에서 의학과 건축의 관계, 실제 질병이 발생하는 임상공간에서 의학과 건축의 관계, 사회집단과 건강사회 추구를 위한 치의학과 건축의 관계 등 의료건축연구 동향을 파악하기 위하여 1995년부터 현재까지 한국의료복지건축학회지 논문들을 분석한 한국의료복지시설학회의 역사와 활동에 의하면 기존의 의료건축 연구들은 의료시설 필요공간의 건축계획이 주 활동으로 나타났다. 의료복지연구동향에 관한 연구[14]에서 나타난 특징은 기능적 측면에 집중되어 있는데 대부분 기존 의료복지시설들의 공간구성이나 면적 배분을 통한 건축계획적 자료 및 증거기반 설계의 자료 활용 목적으로 사용된다. 이는 다른 건축분야보다 미학보다 기능이 중요한 의료복지시설로 인식하고 있으며 건축은 의료분야의 필요 요구 조건의 공간적 현실화에 머무르고 있다. 의료시스템에 대한 도시건축공간 대응의 한계로 나타나는 점은 건축이 의료시설의 건축계획 및 건축공간을 지원하는 역할에 그치고 있다는 것이다. 지원의 역할에서 벗어나 다양한 관점에서 서로의 분야를 접목할 수 있는 치의학과 건축학의 학제적 연구가 필요하다.

죽전 캠퍼스에서
정태종

개론   의료공간 분석 방법론

01. 질병의 공간화와 의료공간의 시각화

01. 질병의 공간화와 의료공간의 시각화

질병에 대한 인류의 대응과 적응은 고대사회에서부터 현대사회에 이르기까지 다양하게 변화하였다. 그중 근대사회는 임상의학의 출현과 더불어 질병의 공간화에 따른 도시 내 의료공간이 형성되었고 의료시설의 건축계획은 의료기능을 중심으로 발전하여 현재에 이르고 있다. 또한, 의료시설의 주요 공간구성은 전문가인 의사를 중심으로 구성되는 것이 일반적이며 최근에는 소비자주의와 국가의 통제로 인한 변화가 나타나서 의료공간구성에도 영향을 미치고 있다. 질병과 사회적 체계의 관계에 따른 의료공간의 변화에 대하여 살펴본다.

미셸 푸코, 질병의 공간화와 사회화

서양에서 질병에 대한 근대의학으로의 발전은 18세기 말에서 19세기 초의 사회적 변화와 이전 시대와는 다른 접근의 의학적 시선이 등장하면서 시작되었다. 미셸 푸코[15)]는 1963년 임상의학의 탄생[16)]에서 사람들이 질병을 포함한 공간을 세 가지로 구분하여 인식하며 각각의 공간에서 나타나는 질병은 의학적이며 사회적인 의미가 다름을 설명하였다. 푸코는 의학의 변화가 사회의 필요에 따른다는 기능주의나 사회발전의 결과로 보는 인과적 관점으로 설명하였던 기존의 의학연구에서 벗어나 질병이 개인의 육체에 자리를 잡지만 질병의 공간은 인식의 틀에 따라 다양하며 질병이 인식되는 의학적, 사회적 의미에 따라서 나타나는 공간을 질병의 공간화로 설명하였다. 그리고 서양 의학의 변화에 따라 질병이 1차, 2차, 3차 공간화되는 과정을 통하여 질병의 다양한 층위를 분석하였다. 질병의 1차 공간화는 의학 또는 병리학 속의 질병의 분류공간이고, 2차 공간화는 실제 질병이 표현되는 환자의 몸에 자리 잡은 공간이며, 3차 공간화는 질병이 존재하는 지역과 사회집단의 공간이다.

전문가주의 공간, 의료시설

의학의 발전과정에 따라 병원의 공간체계도 변화하게 되는데, 병원 공간변화의 특징인 진료공간으로서의 병원의 출현은 근대의학과 같이한다. 근대병원의 의료공간 분화는 전문화된 진료부 및 병동부의 분화, 사회의 변화에 따른 성별에서 질병으로의 변화, 그리고 복합건물에서 기단형과 독립형 병원으로의 공간변화와 연관된다. 또한, 전문가주의의 중심인 의사는 1차, 2차, 3차 공간화와 상호 연관 및 영향을 통하여 기초의학자, 의사, 행정가 등 질병을 통제하는 사람들과 원활한 소통 및 시각 권력을 가지게 된다.

전문가주의는 서양과 한국의 근대국가 형성 및 발전에 중요한 역할을 하였으며 특히 의료분야는 전형적인 전문가주의의 사례로 인정된다. 19세기 서양의 근대국가 성립 과정에서 전문가주의는 전문지식의 형성을 기반으로 조직 내부에서의 교육과 정부와의 공식적인 면허를 통하여 배타적인 세력을 구축하였다. 또한, 자율적인 결정과 공공성을 기반으로 타당성과 정당성을 부여받아 왔다. 이후 지속해서 세분화 및 다양화되었고, 최근에는 융합화로 윤리의 강조 등 새로운 내부 변화가 나타나고 있다. 전문가주의는 체계화된 정규교육의 긴 훈련 기간, 공공선을 위한 사명감 그리고 윤리의식 등을 갖는 집단으로 인정받고 사회적 위치를 획득하였다. 전문가주의가 발전하면서 나타난 주요한 특징들과 요소 중 전문성과 체계성은 전문화와 세분화를 통해 계속해서 의학의 변화를 발전시켜 왔다. 의료분야 공공성은 공공의료로, 그리고 배타성은 의사집단의 구축, 자율성은 국가 보험과 정책의 관리로 나타난다.[17]

치과 분야 질병의 공간화는 의과 분야와 많은 부분에서 유사하나 일부에서는 차이가 나타난다. 치과 질병의 2차 공간화인 임상 진료는 치과의 기원이 의학의 외과 분야이며 이로 인하여 치과 임상은 주로 환자의 신체에 직접적 치료를 하는 외과 중심이다. 그에 비해 의학은 외과적 처치 외에도 내과나 정신과적 치료 등 증상과 징후를 살피는 임상적 시선을 통한 진단과 처방을 하여 질병을 치료하는 다양한 방법을 통하여 질병의 공간화가 나타난다.

의료공간의 시각화, 공간분석
의료공간의 건축계획과 공간구성을 시각화하여 공간의 특성을 분석하는 방법은 그래프 이론(Graph Theory), 시각적 접근과 노출 이론(Visual Access & Exposure: VAE), 공간구문론(Space Syntax) 등이 있다. 이는 공간이 매우 현실적이지만 설명이 추상적이고 모호한 특성으로 인하여 나타나는 다양한 문제점을 해결하기 위하여 정량적이고 시각화하여 명확한 데이터를 제시하는 과학적 방법론으로 큰 역할을 하지만 변수에 따른 오차와 결과에 대한 신뢰도의 한계가 있다.

그래프 이론은 꼭짓점들의 집합과 그 사이의 관계와 관계 지어진 상황들을 그래프로 나타내며 나타난 수학적 모형을 연구하여 여러 가지 현상을 규명한다. 또한, 시각적 접근과 노출 이론 이론인 VAE 모델은 공간 내의 임의의 한 지점이 다른 지점을 보거나 다른 지점으로부터 보이는 정도를 수치화하여 이를 시각적 접근(Visual Access)과 시각적 노출(Visual Exposure)로 정량화하여 해석한다. 공간구문론(Space Syntax)[18]은 1984년 영국의 힐리어(Hillier)와 핸슨(Hanson)에 의하여 개발한 대표적인 정량적 공간 분석 이론이다. 이 이론은 공간의 이용 유형과 연관되며 분석요소들은 연결도, 통합도, ERAM 등이다. 연결도는 특정 공간에 직접 연결된 주변 공간들의 개수이며, 수치가 높은 것은 주변과 많이 연결되어 있음을 의미한다. 통합도는 공간체계에서 접근할 수 있는 공간의 접근도이며 값이 클수록 공간 구조상 중요도가 높으며 접근할 수 있는 경우의 수가 많은 공간이다. 일반적으로 통합도가 1.0 이상이면 통합도가 높고 접근성이 좋다고 할 수 있으며 0.6 이하이면 접근의 경우의 수가 적은 공간이라 할 수 있다[19]. 또한,

공간구문론의 공간분석 결과는 색깔으로도 중요도를 나타내어 붉은색일수록 수치가 높고 파란색일수록 수치가 낮다.

　　공간분석의 사례로 단국대학교 치과대학과 치과병원의 외부공간을 분석한 결과를 보면 전반적인 연결도는 2.878로 높으며 붉은색인 치과병원 정문과 연결된 도로가 제일 높게 나타났고, 공간의 중요도인 통합도는 평균 1.110으로 전체적으로 접근성이 좋으며 그중 천호지 호수와 치과병원 사이의 도로가 붉은색으로 나타나서 제일 중요한 중심공간이다. 그러므로 단국대학교 치과병원의 경우 도로의 연결은 병원 정문 쪽이 높아 사람들의 통행이 편리하면서 외부공간의 중심은 치과병원과 호수 사이의 길로 보행과 휴식의 중심이 된다고 해석할 수 있다.

단국대학교 치과대학/치과병원 공간구문론 분석요소 내용

지도	연결도	통합도
	2.878	1.110

다양한 공간분석의 방법들은 사회적인 행위들이 어떻게 일어나는지, 그리고 이 행위들에 대한 이해가 건축의 계획방법과 어떠한 관계가 있는가에 대한 논의와 함께 공간의 가치가 사회적 관계를 통해서 체계적으로 분석하기 위한 방법론의 하나로 만들어졌다. 따라서 공간분석이론이 갖는 가장 중요한 특성 중 하나는 물리적인 환경에 대한 객관적인 지표를 만들 수 있다는 것이다. 앞으로 다양한 의료공간의 구체적인 사례분석을 통하여 질병의 공간과 특성에 대해서 살펴보고자 한다.

제1장   질병의 공간화

02. 미셸 푸코의 시간적, 공간적 관점

미셸 푸코는 말과 사물, 지식의 고고학 등에서 에피스테메와 같은 시간적 관점으로, 헤테로토피아, 다른 공간들 등에서는 공간적 관점으로 미술관이라는 담론을 고고학과 계보학적 방법론을 통해 도시의 헤테로토피아 즉 차이의 공간으로, 지식의 배치공간으로, 그리고 시선의 권력으로 해석하였다.[20] 미셸 푸코에 따르면 19세기의 고정관념은 발전과 순환, 과거의 축적과 미래의 죽음 등 시간의 축을 통해 구성되며, 20세기는 무질서도인 엔트로피의 증가가 바탕이 되는 공간에서 다양한 요소들의 배치로 나타나는 관계의 집합이라고 하였다[21].

미셸 푸코의 시간적 관점은 1960년대 중후반의 에피스테메가 대표적이다. 유럽 혹은 서구의 16세기에서 20세기까지의 역사를 고고학적 방법론을 이용하여 탐구하고 르네상스, 고전, 근대를 구분하는 불연속의 고유한 인식론적 지층을 에피스테메(Epistheme)라고 하였다. 이러한 시간적 관점은 한 시대의 인식론적 한계가 한 시대의 지식을 성립시키며 질서 지우는 방법이자 기준이 된다. 즉 각각의 시대는 자신의 진리를 구성하는 방식인 진리 놀이를 갖게 되며 이것이 역사적이며 문화적인 코드가 되며 이 코드는 서유럽이라는 역사적 문화적 문제에 집중하여 서구 사유의 제반 조건을 재검토한다.

미셸 푸코의 시간과 공간적 관점 비교

	시간적 관점	공간적 관점
시기	19세기 역사	20세기 엔트로피
특징	에피스테메 진리놀이	헤테로토피아 파놉티콘
방법론	기호학, 언어학 고고학	계보학
주체 관계	주체	주체의 조건 바깥
관련 저서	말과 사물 지식의 고고학	유토피아적 신체 다른 공간들 감시와 처벌:감옥의 탄생

　　미셸 푸코는 1960년대 중반 이후 지역과 공간의 중요성을 언급하면서 한 문화의 한계가 되는 영역으로 연구의 분석대상을 서양세계로 한정한다.[22] 푸코에게 공간의 개념은 담론의 형성과 변형을 가능하게 하는 위상학적 분석으로 각 요소가 점유한 위치와 공간의 배치를 통하여 구성되는 효과이다. 이는 동시대의 지배적 사조였던 베르그손주의, 현상학, 실존주의, 그리고 자유주의에 비판적이며 이후 지식과 권력이론의 배경이 된다. 그러나 푸코는 서구문화 이외의 보편적 문화에 대한 가능성에 대해 사유하지 않아서 공간적 사고에 한계가 나타난다.[23]

헤테로토피아와 공간

푸코의 공간 개념은 헤테로토피아(Heterotopia)로 이는 사회적 공간들 안에서 발견되는 특이한 공간들이며 기능은 여타 공간들의 기능과는 다른 것 즉 전혀 반대되는 것이라고 정의한다.[24] 헤테로토피아는 한 사회의 구성원들의 완벽한 비실제적 비 현실적 공간인 유토피아와 일상적이고 정상적인 현실적인 공간과 다르게 한 사회의 구성 조건을 형성하는 일종의 다른 공간이자 반-공간으로 현실적인 동시에 신화적인 공간이다. 여기에는 특수한 환경에 처한 사회의 특정 구성원이 속하는 공간인 수용소, 감옥, 학교, 병원, 군대, 선박 등이 있으며, 여러 가지 다양한 요소들로 복합적 공간을 이루는 영화관과 극장, 정상적인 시간에 대비하여 시간이 멈추거나 다른 방식으로 흐르는 공간이자 시간이 무한대로 축적되는 공간인 미술관, 박물관, 그리고 도서관 등이 존재한다.

또한, 헤테로토피아인 전시공간은 사물과 개념의 차이를 나타내는 표상 속에서 열린 공간인 표상의 공간으로, 박물학이라는 분류법과 명명법의 형성은 언어와 관련된 고전주의 시대 말에 이루어진 문서들의 다양한 보존체계로 인한 지식의 배치 공간이 되었다. 이후 전시와 배치의 기술은 대중들에게 질서의 힘과 원칙들을 보여주는 규율장치로 작동하여, 사물과 신체를 명령하고 배열하는 권력의 학습을 통하여 유순한 시민을 형성하고 권력의 시선을 시민 자신의 자기 감시와 자기규제로 내면화하게 한다. 즉 전시공간은 도시 내 특이공간으로 목록, 파놉티콘, 그리고 계몽의 문서 사이에서 위상이 형성된다.

헤테로토피아의 분류

특성	사례
반-공간 다른 공간	놀이터 수용소, 감옥, 학교, 공장, 군대 요양원, 고아원, 양로원
기능의 변형 중층결정	집장촌, 공동묘지 영화관, 극장
사건의 변화 시간의 축제화	미술관, 박물관, 도서관 극장, 휴양지, 물랭루즈
환대	저택의 손님방 사랑방
현실적 창조	모로코 식민지 파라과이 예수회 공동체
경제적, 상상력의 저장소	선박

03. 미셸 푸코의 질병의 공간화 개념을 적용한 치과공간 분석

기존의 기능에 의한 의료공간의 건축계획적 분류 및 분석이 아닌 미셸 푸코의 질병과 인간과 사회의 관계인 질병의 공간화에 대한 과정 중 치과분야에서 질병의 공간화에 초점을 맞추어 공간화 특징들을 살펴본다. 이 개념을 이용하여 한국 내 치과분야의 대표적인 교육 및 임상 공간인 서울대학교 치의학대학원과 치과병원의 공간구성 현황과 변화과정 분석을 통하여 한국 내 치과 질병의 공간화 과정과 건축공간과의 상관관계를 찾아본다.

미셸 푸코의 질병의 공간화

푸코는 1963년 임상의학의 탄생에서 사람들이 질병을 포함한 공간을 세 가지로 구분하여 인식하며 각각의 공간에서 나타나는 질병은 의학적이며 사회적인 의미가 다름을 설명하였다. 질병의 1차 공간화는 의학 또는 병리학 속의 질병의 분류공간이고 2차 공간화는 실제 질병이 표현되는 환자의 몸에 자리 잡은 공간이며 3차 공간화는 질병이 존재하는 지역과 사회집단의 공간이다[25].

질병의 1차 공간화는 질병의 고유한 본질을 이상적으로 표현하며 증상과 의학자의 경험에 따른 유사성에 기초하여 일정한 공간을 차지하는 분류의학으로 서유럽에서는 17세기 중반 고전 시대에 생물학의 방법론인 분류학의 발전이 타 학문까지 확대되는 과

정에서 나타났다.

미셸 푸코의 질병의 공간화 분류

1차 공간화	2차 공간화	3차 공간화
고전	근대	근대
17세기 중반	19세기	19세기
분류의학	임상적 시선	지역사회
질병의 위치	환자의 신체	감염
주거	의료 시설	사회 환경
대체 의학	임상의학	공공의료
내과	외과	예방의학
학문 내 질병	신체 내 질병	지역 내 질병
연구자	의사	행정가

질병의 2차 공간화는 의학적 지식체계이며 시각적, 공간적으로 나타나지 않는 1차 공간화와 다르게 임상 진료에서 나타나는 환자 신체 속의 질병에 관한 것이다. 여기에서 질병은 환자의 몸에 나타나는 임상적 증상과 징후이며 환자에 따라 다르게 나타나므로 개별성과 발현의 다양성, 그리고 의사의 임상적 시선과 기술적 검사를 통한 진단의 실증적 증명이 필요하다.

질병의 3차 공간화는 환자의 몸이라는 미시적인 공간인 질병의 2차 공간화와 비교하면 환자와 질병을 포함하는 집단 사회와 지역의 거시적 공간이다. 이는 환자의 개별성에 기초하는 2차 공간화가 전염병과 같이 개인의 몸을 벗어나 지역사회로 확대되는 경우이며 격리나 사회정책을 통한 위생환경의 결정 등이 포함되므로 국가나 정부가 질병을 다루는 의료의 구조적 특성이 반영된다.

질병의 공간화는 진료공간인 병원뿐만 아니라 가정, 교육 연구공간, 지역사회 등 광범위하다. 그중 가장 중요한 공간인 의료시설이자 의학교육공간인 치과대학병원은 1차, 2차, 3차 질병의 공간화가 집약된 장소이다. 1차 공간화의 공간은 임상에 관련된 기초학문을 위한 연구 및 교육공간이며 2차 공간화의 공간은 환자와 의료진의 진찰 및 진료에 관한 공간이다. 의료기관에서 3차 공간화의 공간은 질병의 공공 및 사회적 확장에 관련된 정책에 관한 연구공간이라고 할 수 있다.

질병의 공간화와 공간구성의 관계
서울대학교 치의학대학원과 치과병원 사례 분석의 결과를 통하여 치과 질병의 공간화 공간구성의 특징을 살펴보면, 한국에서 치과 질병의 공간화는 두 갈래로 진행된 근대 치과의 도입과정과 관계가 있다. 서울대학교 치과대학과 치과병원 공간구성 변화는 다음과 같이 정리할 수 있다.

1) 경성치과의학교와 부속병원(1908~1968년. 연건, 소공)
1908년 광제원이 기존의 관립의학교와 적십자병원을 통합하면서 대한의원을 설립하였고 1909년 대한의원의 외래진료부는 치과를 포함한 9개 과로 구성되었다. 치과는 의과에서 분리되지 않은 상태로 의과대학에서 교육과 진료가 수행되었다. 치과는 임상을 중심으로 환자의 2차 공간화가 먼저 시작되었으며 치과 기초학문의 1차 공간화는 의과대학에서 임상과 관련된 임상의학 중심이었고 이후 경성치과의학교가 설립되면서 본격적으로 시작하게 되었다.

1922년 경성치과의학교가 설립되었을 당시 치과 강의 및 실습은 경성의학전문학교와 총독부의원의 건물을 공용으로 사용하였다. 이후 1928년 국유지를 대여받아 소공동에 독립 학교건물을 마련하여 이전하였다. 또한, 같은 공간에 지상 4층, 지하 1층 규모의 경성의학전문학교 부속의원을 설치하였다. 이후 경성치과의학전문학교로 개편되었고 1945년 서울대학교 치과대학에 병합되었다. 경성치과의학전문학교 교육 내용은 치과기공학, 병리약리학, 병리조직학의 기초치의학과 보존학, 보철학, 구강외과학의 임상치의학으로 나누어진다.

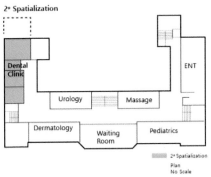

대한의원 외래 평면 1909(평면 다이어그램)

치과진료부인 치과 임상은 다양하게 세분되고 전문화되는데, 1946년 치과대학 부속병원은 보존부, 보철부, 외과부의 3개부였으나 이후 소아치과, 치주과, 치과방사선과, 구강진단과, 교정과가 신설되었다. 이와 더불어 치과 교육 분야도 세분화되어 1946년에 구강병리학, 치과재료학, 치과약리학, 예방치과학이 신설되었으며 치과대학과 치과병원이 연건동으로 이전하면서 구강생리학과 구강생화학, 구강미생물학이 신설되는 등 빠르게 1차 및 2차 공간화가 진행되었다. 이 시기는 치과 임상의 세분화 및 전문화와 그에 따른 기초치의학의 전적인 학문적 지원으로 한국 치의학의 체계가 정립되는 시기이다.

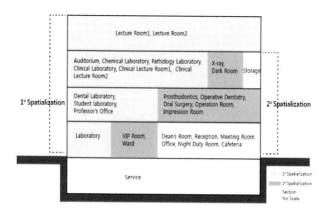

서울대학교 치과대학, 치과병원의 공간화, 1928(단면 다이어그램)

2) 서울대학교 치과대학과 치과진료부(1969~1992. 연건)

1969년 서울대학교 치과대학과 치과병원은 소공동에서 다시 기존 서울대학교 캠퍼스인 연건동으로 이전하여 서울대학교 의과대학, 서울대학교병원, 간호대학 등과 연건 의학 캠퍼스를 구성하게 되었다. 신축한 지상 7층, 지하 1층의 치과대학의 본관 건물은 기단형의 고층 단일건물로 전면부 하층부 1, 2층에는 치과 진료를 담당하는 치과진료부가 배치되었고 후면부 3층에서 7층까지는 치과 교육을 담당하는 치과대학으로 1차 공간화와 2차 공간화가 공존하게 되었다.

기단형의 건물에 기초치의학 교육과 임상 진료가 한 건물에서 이루어짐으로써 교육과 임상이 밀접하게 연결되었다. 그러나 치의학 교육과 연구에 필요한 공간이 부족한 상황에서 치학연구소 등 일부 교육공간은 본관 외에 서울대학교 연건캠퍼스의 다른 건물을 사용하게 되어 치과 질병의 1차 공간화는 한곳에 집중되지 않고 분산되는 결과를 가져왔다. 이는 치과대학 본관과 공간적으로 떨어져 있음에도 불구하고 공간적 연결 고려 없이 기존 약학대학의 이전으로 생긴 공간을 사용한 결과였다.

3) 서울대학교 치의학 대학원과 치과병원(1993~2014. 연건)

1993년 서울대학교 치과병원이 기존의 치과대학과 치과진료부에서 독립하여 신축 이전하였다. 그 결과 기초치의학 연구와 교육을 담당하던 치과대학과 물리적으로 분리되었고 치과병원은 치과 진료와 치과 임상 교육에 집중하게 되었다. 신축된 치과병원은 구강내과, 영상치의학과, 구강악안면외과, 치주과, 보존과, 보철과, 치과교정과, 소아치과, 구강병리과, 치과마취과 등 10개 임상진료과목과 임플란트진료센터, 구강악안면기형진료센터, 원스톱협진센터 등 3개의 특수진료센터 등 전문적인 임상 진료의 공간, 즉 2차 공간화의 중심이 되었다. 신축한 치과병원은 기본적으로 치과 임상의 2차 공간화의 공간이 중심이며 기존의 수평적으로 분리되었던 임상 공간들이 3층에 치과교정과, 4층에 치주, 보존과, 5층에 보철과, 6층에 구강악안면외과 등 각층에 주요 진료과목들을 배치하고 수직적으로 분리하여 적층되었다. 7층의 입원병동은 독립공간의 특성상 다른 공간과 구분하기 위하여 건물의 최상부에 배치하였다.

치과병원은 2차 공간화가 중심이나 임상과 관련된 교육공간인 1차 공간화 공간이 지하와 최상층에 제공되며 이는 내부 교육용과 외부인의 교육공간으로 구성된다. 3차 공간화인 공공의료에 관련된 공간은 예방 및 지역사회를 위한 치과병원의 공공정책 및 공공관리와 함께 지원 공간에 포함되어 있다. 3차 공간화는 실제 임상 진료에 필요한 공간이 아니며 주로 정부 주도 정책으로 시행되었기 때문에 치과대학과 치과병원에서는 부분적으로만 진행되고 있다는 현실 상황을 공간적으로 보여주고 있다.

치과병원에는 구강검진이나 예방을 위한 별도의 독립된 공간을 두고 있지는 않으며, 구강 예방 교육은 치과병원의 소아치과에서 소아 청소년 치과 진료와 함께 진행되고 있으며 예방에 관한 연구는 기초학문인 예방치의학에서 주로 담당한다. 2005년 서울대학교 치과대학은 학제개편으로 학부과정에서 대학원과정으로 전환되어 다양한 과정의 치의학 전문교육 기관이 되었다. 이 과정에서 공간적으로 분리되어 있던 치의학 대학원이 치과생체재료연구동, 교육동 등이 준공되면서 1차 공간화는 본관을 중심으로 배치되었다. 이로써 한국 치과 질병의 1차 공간화는 치과 임상을 통한 2차 공간화를 바탕으로 기존의 질병 분류 체계에서 발전하여 생체재료 및 치아복제의 영역으로까지 넓혀졌다.

4) 서울대학교 관악연구복합단지와 관악치과병원(2015~현재. 관악)

2015년 치의학 대학원은 서울대학교 관악캠퍼스 내에 치과병원 및 첨단교육 연구복합단지를 설립하면서 현재까지 세분화, 전문화되었던 기초 및 임상 분야 치과 질병의 1차와 2차 공간화가 하나로 통합되는 형태로 나타났다. 관악캠퍼스 내 첨단교육 연구복합단지는 1차와 2차 공간화 접목의 새로운 시도이다. 연건캠퍼스 확장의 한계를 분원의 방법으로 해결하는 과정에서 연건동의 치의학 대학원과 치과병원의 분원 형태로 관악캠퍼스의 공간은 단일건물의 내부공간에 1차와 2차 공간화가 공존하게 되었다.

서울대학교 치의학 대학원과 치과병원의 질병의 공간화 과정을 정리하면, 의과 병원 내 2차 공간화로 시작하여 의과 분야에서 독립하여 1차와 2차 질병의 공간화가 진행되었다. 이후 1차와 2차 공간화가 한 건물에서 진행되다가 각각 독립된 공간으로 분리되었고 3차 질병의 공간화는 1차와 2차 공간화의 일부 공간을 사용하게 되었다. 최근에는 새로운 공간에 1차와 2차 질병의 공간화가 나타나서 공간화의 영역이 확장되었다.

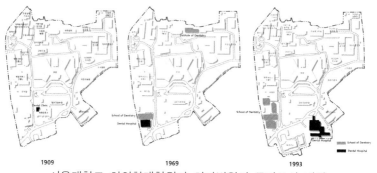

서울대학교 치의학대학원과 치과병원의 공간구성 변화

     서양 치의학은 한국에 도입될 당시 질병의 1차, 2차, 3차 공간화가 정립된 상태이었으나 한국에서 서양 치의학의 직접적인 도입은 서양 선교사에 의한 치과 임상, 즉 치과 진료가 주목적이었으며 교육도 그에 따른 임상에 관련된 것이었다. 치과 질병의 공간화는 1890년 2차 공간화가 먼저 시작되었다. 이후 1922년 일본인에 의한 치과 교육의 1차 공간화의 과정이 발생하였다. 초기 대한의원 시절 치과는 임상을 중심으로 대한의원의 일부 공간을 사용하였고 치의학 교육은 의과대학 내에서 이루어졌다. 1928년 경성치의전문학교 이후 치과대학과 치과병원이 독립하여 자체 시스템을 갖추게 되면서 본격적인 2차 및 1차 공간화가 진행되었다. 이후 임상을 중심으로 2차 공간화가 나타나고 이를 뒷받침하는 1차 공간화가 2차 공간화와 같은 공간에서 긴밀하게 연결되면서 공간구성이 형성되며 이후 3차 공간화의 공간도 나타나게 된다. 같은 공간의 1차와 2차 공간화는 점차 분화하면서 독립하게 되고 이러한 분화의 단계를 지나면 공간적으로 완전히 새로운 분원의 형태로 1차와 2차 질병의 공간화가 나타나게 되었다.

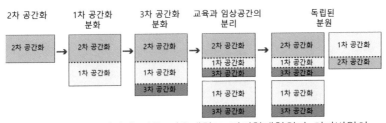

치과 질병의 공간화에 따른 서울대학교 치의학대학원과 치과병원의 변화 다이어그램

질병의 공간화에 따른 서울대학교 치의학대학원/치과병원 치과의료체계와 공간구성의 관계는 지속적으로 변화해 왔다. 1922년 대한의원 내 치과에서부터 시작하여 치과대학 및 치과병원의 독립된 공간으로, 1969년 연건동 의학캠퍼스로 이전 시 기단부는 치과병원, 상부는 치과대학으로 구분되었고, 이후 2004년에 치의학대학원과 별도의 독립된 치과병원 공간 분화가 나타났다.

3차 공간화 과정은 사회 문화적 만성질환을 중심으로 지역 사회의 예방교육과 구강검진이 주였으며 이는 한국 내 불안정한 사회 상황상 정부보다는 전문가인 치과의사에 의하여 개인적으로 진행되었다. 1980년대부터 정부 주도의 3차 공간화가 진행되었는데 주로 학교체계를 이용하였으므로 치과병원 내 질병의 3차 공간화에 관련된 전문적인 독립공간은 마련되지 않았다. 대신 공공의료 사업, 보건정책연구개발, 치과 예방학을 통한 구강 사업 정책연구와 치과의원과 학교의 구강검진 등 1차와 2차 공간화 시스템을 이용한 3차 공간화가 진행되었다. 현재 건축공간구성의 관점에서 치과 질병의 3차 공간화는 본격적으로 나타나지 않은 단계이며, 추후 치과의사의 과잉공급과 정부의 적극적인 구강 정책의 실현을 통한 3차 공간화로 독립된 전문공간이 나타날 것으로 예상한다.

서울대학교 치의학대학원/치과병원 치과의료체계와 공간구성의 관계

	1922	1928	1969	2004
치과의료 체계	치과의원	치과병원 (3 진료과목)	치과병원 (8 진료과목)	치과병원 (11 진료과목)
공간구성	대한의원 내 치과	독립된 치과	수평방향 분화	수직방향 분화

04. 한국 치과공간 구성의 변화_수도권 지역 치과대학/치의학대학원과 치과병원

서양의 치의학이 한국에 도입된 지 130여 년이 지난 현재, 한국 치의학은 임상과 기초 치의학분야에서 커다란 도약이 있음에도 불구하고 치과공간에 관련된 건축과 도시공간에 관한 관심은 적다. 이번 기회에 치과 질병과 인간과 사회의 관계인 치과공간 중 수도권 지역의 변화 과정에 대하여 살펴본다.

네틀턴(Nettleton)과 데이비스(Davis)의 치의학과 공간

치의학은 역사적으로 볼 때 의학 분야 중 환자의 몸에 직접 치료를 가하는 외과와 유사하다. 그에 비해 의학은 외과적 진료 외에도 내과나 정신과 등 다양한 방법으로 나타난다. 근대의학의 토대는 환자의 해부학적 형태를 관찰하는 임상검사와 진료의 공간인 병원과 몸과 환경 사이에 있는 공간을 관찰하는 공중보건학의 두 가지 영역이다.

치의학에 관한 사라 네틀턴(Sarah Nettleton)의 연구[26]는 기존의 기능적, 인과적 관점에서 벗어나 미셸 푸코의 방법론인 계보학을 이용하여 구강을 가변적 실체로 드러냈으며 어떻게 치의학적 규율이 가능하게 되었는지 규명하였다. 제도와 정책을 통한 치의학의 형성과 발전이라는 기존의 분석에서 벗어나 치의학의 대상을 환경적 요인, 사회적 접촉, 개인위생에서 찾았다. 치과의 대표적인

질병인 치아우식증과 치주질환은 외부 환경요인의 산물이며 만성
적으로 사회에 영향을 미치기 때문에 구강검진과 상수도 불소화
등 예방과 정책은 전문가와 정부의 상호협조가 필요하며 집단에
대한 모니터링과 개인위생 훈련이라는 두 가지 수준에서 작동한다.
치과공간은 신체 물리적 공간, 사회적 공간과 더불어 치과 치료 공
간에 대한 공포의 심리적 공간으로 표현된다.

치의학에 관한 사라 네틀턴의 연구

물리적 공간	심리적 공간	사회적 공간
가정	치과병원/의원	지역사회
가족 관리	통증과 공포	예방, 정책, 공공 의료
가족 구성원 관찰	환자 관찰	지역 관찰
개인 훈련	당분 조절	학교 훈련
개인	전문가주의	공공성
부모	치과의사	행정가

또한, 치과의료의 사회학적 재조명27)에서 데이비스(Peter B
Davis)는 치의학은 공중위생이나 노동위생의 대책에 이론적 기초
를 두고 예방의학과도 밀접한 관계를 갖는다고 하였다. 치의학분야
의 이해방식은 잠재적으로 존재하며 집단의 생활과 문화에 의해
형성된 행위라는 넓은 맥락에서 해석하여야 할 것이라고 하였다.
이 연구 결과로 치의학은 예방과 교육을 통하여 해결하는 사회 환
경적 관점이 강조되었다.

치의학은 개인과 가족 수준의 위생공간인 가정에서부터 임상 공간이자 전문가주의 공간인 치과병원과 도시공간의 통치 장치이자 구강검진과 구강교육의 장소인 학교와 보건소 등 지역사회의 다양한 공간들이 있어야 한다. 한국에서 치과공간은 환자를 직접 진료하고 교육하는 치과병원과 치과의원이 중심공간이며 그중에서도 치과대학/치의학대학원과 부속치과병원은 교육연구, 임상진료, 공중보건의 공간으로 치과공간의 핵심공간이다.

한국 치과공간 변화과정[28]

한국 치과공간의 변화를 살펴보기 위해서 한국 치의학의 도입부터 현재까지 발전해 온 역사와 그 역사를 담고 있는 수도권 지역의 서울대학교, 연세대학교, 경희대학교 등 3개의 치과대학/치의학대학원과 부속치과병원들의 공간변화를 살펴본다.[29]

한국에서 근대 치의학의 도입은 두 갈래로 진행되었다. 근대 치의학의 시초는 1885년 제중원에서 미국 선교사 알렌이 행한 발치 시술이며 이후 세브란스 병원 치과학교실로 발전하였다. 다른 한 갈래는 일본을 통한 서양 치과의 도입으로 일본인 나기라에 의해 1922년 설립된 경성치과의학교와 부속병원이 서울대학교 치과대학과 치과병원으로 합병되어 현재까지 발전해 왔다. 1966년 경희대학교 치과대학, 1967년 연세대학교 치과대학 등이 설립되며 복수의 치의학 교육기관 시대로 접어들었다.

한국에 서양 치의학이 직접 도입되었던 초기의 치의학은 임상 치과 환자의 치료가 주였으며 교육도 임상에 관련된 것이었다. 기초치의학은 경성치과의학교를 거쳐 서울대학교 치과대학으로 발전하였다. 또한, 기초와 임상 치의학이 정립되고 나서 치과대학이 설립된 경희대학교 사례는 임상 중심으로 50여 년간 치과학 교실을 운영해 온 연세대학교와 기초치의학을 중심으로 교육체계를 우선으로 받아들인 서울대학교와 다르게 기초치의학과 임상을 연결하는 체계가 된다. 또한, 공중보건분야는 치의학 도입 초기에는 치과의사에 의하여, 이후로는 정부의 주도로 초중고 기초교육체계와 보건소 지역사회를 중심으로 진행되었고, 현재 치과 관련 공중보건공간은 교육연구공간인 예방치과학, 임상공간인 장애인 구강진료센터, 공공의료사업팀 등으로 구성된다. 현재 수도권 지역 치과대학과 치과병원의 배치 및 공간구성은 다음과 같다.

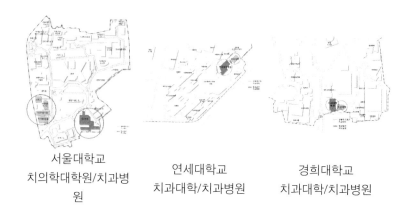

서울대학교
치의학대학원/치과병원

연세대학교
치과대학/치과병원

경희대학교
치과대학/치과병원

서울과 수도권 지역의 발전과 확장 방향에 따른 치과공간의 대응을 살펴보면, 우선 서울역 앞 세브란스 치과병원은 연세대학교로 통합되어 신촌 캠퍼스로, 연건동 경성치과의학교는 서울대 치과대학으로 합병되어 소공동 캠퍼스를 거쳐 다시 연건동으로 이전하는 변화를 겪지만 두 곳 모두 지리적으로 서울시 중심인 강북지역에 머물렀다. 1960년대 신설된 경희대학교 치과대학도 강북에 위치한다. 이후 치과대학과 치과병원들은 서울시 강남지역 및 신도시 개발로 도시가 확장함에 따라 분원의 방법으로 진료권을 확장해 나간다. 서울대학교는 연건동에서 보라매병원치과, 분당서울대병원치과, 강남센터치과, 관악서울대치과병원과 첨단교육연구복합단지로, 연세대학교는 강남세브란스병원치과, 원주세브란스기독병원치과, 용인세브란스병원치과로, 경희대학교는 강동경희대병원치과로 확장되었다.

치과공간의 확장은 대부분 의과대학병원의 분원 확장 시 외래진료공간의 임상공간으로 나타났으나 서울대학교 관악서울대치과병원의 경우에는 임상공간인 치과병원과 교육연구공간인 치의학대학원이 결합된 상태의 독립된 분원으로 나타났다. 이는 한국의 치과분야가 도시의 발전과 확장 방향에 따라 적극적으로 대응한 결과라 할 수 있다.

서울지역 치과대학/치의학대학원과 치과병원 형성과 변화 과정

05. 전염병 방어공간과 미셸 푸코의 3차 질병의 공간화

현대 사회는 지역 간 이동이 증가하여 질병의 파급력과 다양성이 커져서 의료분야 질병의 개념이 기존의 환자 개인의 몸에서 지역사회 전체로 확대되면서 사회와 시대에 따라 변화하여 질병의 치료와 관리에 의학적 지식 이외 질병의 인식에 관한 인문의학적 틀을 적용하는 연구가 요구된다[30]. 최근 코로나 19(Covid-19)와 같은 급성 전염성 질병이 지역적 경계를 벗어나 광범위한 지역사회에 커다란 영향을 주고 있으며 이러한 전염병이 지역사회의 주요한 진료대상이 되는 상황이 나타났다.

3차 질병의 공간화

미셸 푸코는 질병의 공간은 인식의 틀에 따라 다양하며 질병이 인식되는 의학적, 사회적 의미에 따라서 전염병과 같이 지역사회에 나타나는 공간을 3차 질병의 공간화로 설명하였다. 3차 질병의 공간화는 질병이 환자 개인의 범위를 넘어서는 집단 사회와 지역의 거시적 공간이다. 코로나 19와 같은 전염병이 전형적인 사례로 개인의 몸을 벗어나 지역사회로 확대되는 경우이며 여기에는 국가나 정부가 질병을 다루는 의료의 구조적 특성이 반영되고 격리나 사회정책을 통한 위생환경의 결정 등이 포함된다. 이는 시각적이며 공간을 점유하지 않는 1차 질병의 공간화와 환자의 몸이라는 미시적이며 개별성에 기초하는 2차 질병의 공간화와는 다르다.

감염병과 도시건축공간

역사적으로 인류는 전염병에 지속해서 노출되었으나 특히 2000년 이후 대유행의 위협이 확장되고 있다. 최근 감염병의 종류는 사스(SARS), 신종플루, 메르스(MERS), 에볼라, 지카 바이러스, 그리고 최근 코로나 19(COVID-19) 등이 있다

감염병의 종류와 발생 시기

코로나 19와 관련된 공간은 선별진료소, 자가격리시설인 가정과 단체격리시설인 생활치료센터, 감염병의 진료가 수행되는 3차 진료기관이나 권역별로 지정된 감염병원, 정부산하의 전염병 정책 결정 및 시행기관인 질병 관리센터 등이다.

질병 검사 공간

모든 코로나 19 대상자가 처음 방문하는 곳이 선별진료소이다. 선별진료소 공간구성의 특징은 신속한 검사와 분류가 필요하며 전염병 시기에 적극적으로 이용되므로 대부분 이동성을 가지며, 감염유무가 불확실한 대상자를 상대하므로 외부에 설치하는 임시시

설이 많다. 또한, 한국형 선별진료소는 감염병의 위험에 노출되기
쉬운 환경으로부터 보호하기 위하여 지정된 외부의 격리공간에 독
립된 워크스루(Walk-through) 방식이 선호된다.

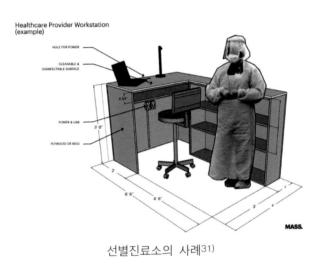

선별진료소의 사례[31)

격리시설

선별진료소의 검사 결과 증상이 없는 경우 필요한 공간인 격
리시설은 두 가지로 분류할 수 있는데 자가격리시설인 개인 주거
공간과 단체격리시설인 생활치료센터이다. 자가격리시설인 개인 주
거공간은 본인의 판단하에 증상을 확인하면서 14일 동안 본인의
공간에서 스스로 격리하는 것이다. 자가격리시설로서 개인 주거공
간의 공간적 약점은 적절한 공간의 격리를 고려되지 못한 공간구

성의 한계로 인한 가족 간의 전파 가능성이다. 가족 간에도 일상생활 공간의 일부가 격리되어야 하지만 현실적으로는 불가피한 공간의 공유와 접촉의 한계가 나타나며 이를 위한 건축계획적 고려가 필요하다.

단체격리시설인 생활치료센터는 일상에서는 주로 공공기관, 기업체 연수원, 교육원 등 단체교육시설로 이용되며 응급 시 단체격리시설로 활용 가능한 시설이다. 공간적 특징은 평소에 단체공간이나 개인별 격리공간으로의 전환이 가능하여 1인실의 개인 공간을 제공할 수 있는 공간의 가변성과 최소한의 일상생활이 가능하여야 한다. 또한, 감염에 대비한 검사 및 양성 반응 시 의뢰를 담당하는 의료인력과 감염병원으로의 쉬운 이동이 요구된다.

집중치료공간
현재 감염병의 진료가 수행되는 감염병원은 대부분 별도의 감염병원이 아닌 3차 진료기관이나 권역별로 지정된 전문병원이다. 그러므로 기존의 일반진료와 더불어 호흡기질환과 전염병 질환의 구분이 필요하며 격리공간의 구분이 명확하여야 한다. 집중치료공간과 더불어 선별진료소도 외부공간에 설치되어 유증상자를 검사하고 확진 시 입원치료로 연결한다.

질병관리센터
질병관리센터는 정부산하의 전염병 정책 결정 및 시행기관이며 1차, 2차 질병의 공간화 공간은 아니지만, 전염병에 대한 대응 정책 수립 및 행정을 총괄하는 3차 질병의 공간화에서 가장 중요한 시설이다. 공간적 특성은 다른 공간과는 다르게 시각적으로 노출되거나 현장에 있을 필요는 없지만, 유사시를 대비하여 현장과 가까이 위치하는 것이 고려된다.

감염병 관련 공간구성과 관계

전염병은 1차 공간화인 주거공간의 한정된 격리공간, 2차 공간화인 병원시설의 환자 수용공간 부족, 그리고 새로운 질병에 대한 3차 공간화의 대응 한계 등이 발생할 수 있다. 이러한 한계를 극복하기 위해서는 각 개인의 위생과 주거공간, 전염병에 걸린 환자를 진료하는 병원과 더불어 대유행으로부터 전염병을 막고 조절하여 지역사회와 공공의 보건을 유지하는 행정기관 등 공간들이 유기적으로 연결되고 상호 소통이 되어야 하며 각 공간은 대유행에 대처할 수 있게 건축계획적 가변성을 가져야 한다. 최근 전 세계적으로 펜데믹을 겪고 있는 코로나 19와 관련된 한국 내 질병의 공간화와 공간구성의 흐름도는 다음과 같다.

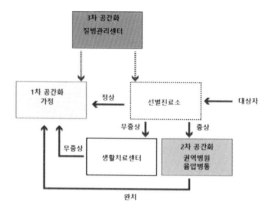

코로나 19 질병의 공간화와 공간구성 흐름도

제2장　의료분야 전문가주의

06. 의료분야 전문가주의와 의료공간

현대사회는 전문가의 사회라고 할 정도로 건축, 의료, 법률, 세무 등 다양한 분야에서 전문가주의의 활약이 두드러진다. 의료시설의 공간은 전문가인 의사를 중심으로 구성되는 경향이 있으므로 의료공간의 분석을 위하여 의료분야 전문가주의의 형성 과정, 특징, 그리고 속성들을 파악하고 사회적 역할과 중요성을 고찰하여 한국 의료분야 전문가주의의 구성요소들을 찾아보고자 한다.

전문가주의 형성 과정

서양의 근대사회에서 전문가주의는 형성 초기에 특정 분야에서 전문지식이 형성, 축적되어 전문가가 나타나고 그에 대한 수요가 늘어나면서 성립되었다. 이 단계가 지나면 전문직의 공동 활동을 위한 단체가 설립되고 국가로부터 공식적인 인증을 받아 독점적 지위가 부여되는 제도화 과정을 거친다. 이후 전문가주의 윤리 규정 및 공공성을 토대로 한 사회적 지위를 확보하게 되고 지속적 유지를 위한 정규교육과정과 계속교육, 내부규율과 윤리를 통한 공공성 증대를 제공하게 된다32).

이와 같은 전문가주의 형성 과정을 세 단계로 정리하면 첫 단계는 전일제 직업이 되는 것이며 다음 단계는 훈련을 위한 정규교육이 발생되며 전문가협회가 구성된다. 마지막 단계는 국가로부터 법적 인증을 거치고 최종으로는 직업윤리에 대한 자치 규약이 확립되면서 전문가주의의 사회적 정체성이 완성된다. 한국의 전문가주의는 자체로 발생된 것이 아니라 1900년 경 서양에서 수입되었다. 한국 의료분야 전문가주의의 역사적 변화과정은 국민의료보험과 대기업의 병원설립허가로 인하여 커다란 변화가 발생하였다. 전문가주의 초기에는 의사라는 전문성이 중심이었으나 이후 자율성과 공공성이 전문가주의의 발전에 중요한 요소가 되었다.

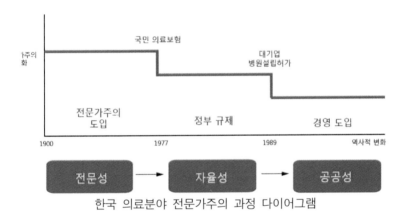

한국 의료분야 전문가주의 과정 다이어그램

전문가주의 특징

다양한 분야에서 전문지식을 이용하여 전문직을 형성한 전문가주의는 여러 가지 특성들이 나타난다. 전문가주의의 전문지식은 분야에 따라 차이가 나는 독특한 특성들이 있으나 전문가주의의 전문성은 기본적으로 일반인들이 접근하기 어렵고 전문가들에 의해 독점적으로 형성되고 축적되며 교육되었다. 또한, 전문가주의는

61

특정 분야에서 능력과 역할을 위한 특성들이 나타났는데 의료분야에서 의사가 치료자로서 역할을 하는 것이 대표적이다. 이러한 속성은 전문가주의의 이데올로기와 윤리, 그리고 공공성을 포함하는 계기가 되었고 공공성, 이타심, 그리고 책임감과 같이 기존의 직업과 전문가주의에서 공통적으로 나타나는 특성들이 형성되었다. 전문가주의 특성들은 전문가주의 형성 과정을 통하여 여러 가지 다양한 속성과 요소들로 나타나게 되었다. 특히 의료시설의 공간은 기존에는 기능에 따른 분화가 주였으나 최근에는 질병과 프로그램에 의한 통합으로 인하여 의료공간이 임상 위주 센터나 포괄적인 센터화로 변화하고 있다.

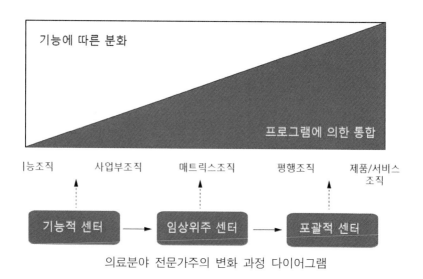

의료분야 전문가주의 변화 과정 다이어그램

전문가주의 속성

　서양에서 전문가주의가 나타난 19세기부터 최근까지 많은 사회학자가 전문가주의 형성과 발전과정에서 나타난 전문가주의의 속성과 그 특징들을 통하여 전문가주의의 구성요소들을 제시하였다.

　그중 대표적인 학자인 그린우드(Greenwood, 1957)는 전문직의 속성을 체계적 이론, 권위, 협회 규정, 윤리 강령, 문화로 설명하였다.[33] 체계적 이론은 도제 방식이 아닌 정규교육과정을 통한 이론적 배경을 갖추어야 하는 것으로 교육 및 체계성을 나타내며 권위는 전문성의 인정을 의미하며 공식적인 수료증 또는 학위로 입증된다. 협회 규정은 전문직 조직으로 배타적인 자격제도를 의미하며 윤리 강령은 개인의 이익이 아닌 사회의 공공성을 위한 조건이 된다. 그리고 문화는 전문가주의 집단의 독특한 분위기 및 타 집단과의 구별되는 양식이며 이는 전문가주의의 자율규제 및 연대와 연관된다.

　또한, 프라이드슨(Freidson, 1994)은 의료분야 전문가주의가 다른 전문직에 비하여 순수한 이념형적 전문가주의에 가깝다고 하였다[34]. 이념형의 전문직업성은 다섯 가지 특징으로 정리되는데, 전문화된 노동, 배타적 관할권, 직업의 보호, 훈련프로그램, 이데올로기로 경제적 이익보다 선량한 일에, 노동의 경제적 효율성보다는 질에 헌신한다.

구드(Goode, 1960)는 전문직의 핵심적인 특성을 전문적 지식의 소유를 위한 훈련과 서비스 지향적 업무로 설명하였다[35]. 이 두 가지 핵심 특성들에서 자체적인 훈련기준의 설정, 심오한 성인 사회화 과정, 면허제도의 성립, 전문직 성원 스스로에 의해 관리되는 면허와 자격부여, 사회적 통제로부터의 자율성, 자체적인 직업 결사체의 조직, 높은 직업윤리와 직업 자부심 등 다양한 특성들이 파생되었다.

마지막으로 홀(Hall, 1968)은 이러한 다양한 전문가주의 속성들을 구조적 요건과 태도적 요건으로 구분하였다[36]. 구조적 요건은 교육제도, 자격의 부여, 전문적인 조직과 윤리 강령 등으로 일정한 제도적인 형태로 인하여 객관적인 확인이 가능한 것이며 태도적 요건은 직업윤리나 소명감과 같은 내적이며 주관적인 조직원들의 인식으로 나타난다.

전문가주의의 구성요소를 정리하면 요건은 기본적, 구조적, 태도적 요건으로 나누며 요소는 전문성, 체계성, 배타성, 자율성, 공공성 등이다. 기존 사회학자들이 제시한 전문가주의 구성요소 분석을 정리하면 다음과 같다.

사회학자들이 제시한 전문가주의 구성요소 분석

속성			요건	요소	요건
Greenwood	Freidson	Goode	Hall		
체계적 이론 (Systemic Theory)				전문성 (Expertise)	기본적 (Basic)
권위 (Authority)	교육 (Education)	훈련 (Training)		체계성 (Systemicity)	
협회 규정 (Community Sanction)	독점적 권리 (Exclusive Rights) 보호 (Protection)		구조적 (Structural)	배타성 (Exclusiveness)	구조적 (Structural)
	재량권 (Self Decision)	업무 (Task)		자율성 (Autonomy)	
윤리 강령 (Ethical Codes) 문화 (Culture)	공동선 (Common Good)		태도적 (Attitude)	공공성 (Publicness)	태도적 (Attitude)

07. 한국 의료분야 전문가주의 발전과정에 따른 공간구성의 특성

전문가주의는 서양과 한국의 근대국가 형성 및 발전에 중요한 역할을 하였으며 특히 의료분야의 전문가주의는 전형적인 전문가주의의 사례로 인정된다. 전문가주의 구성요소들을 이용하여 한국의 대표적인 의료공간인 서울대학교 의학캠퍼스와 서울대학교병원의 공간구성과 변화과정을 분석하고, 이를 통하여 의료분야 전문가주의의 요소들과 의료공간구성과의 관계를 파악한다. 더 나아가 한국 의료분야 전문가주의와 그에 따른 공간구성의 상관관계 및 공간분석의 가능성을 모색하고자 한다.

전문가주의 개념 및 특성

19세기 서양의 근대국가 성립 과정에서 전문가주의는 전문지식의 형성을 기반으로 조직 내부에서의 교육과 정부와의 공식적인 면허를 통하여 배타적인 세력을 구축하였다. 또한, 자율적인 결정과 공공성을 기반으로 전문가주의의 타당성과 정당성을 부여받아왔다. 이후 전문가주의는 지속적으로 세분화 및 다양화되었고, 최근에는 정부의 개입, 소비자주의, 전문가주의의 융합화로 윤리의 강조 등 새로운 내부 변화가 나타나고 있다. 전문가주의는 체계화된 정규교육의 긴 훈련 기간, 공공선을 위한 사명감 그리고 윤리의식 등을 갖는 집단으로 인정받고 사회적 위치를 획득하였다.

전문가주의가 발전하면서 나타난 주요한 특징들과 요소들은 기본적 요건의 전문성과 체계성, 태도적 요건의 공공성 그리고 구조적 요건의 배타성과 자율성 등이다. 전문성과 체계성은 전문가주의의 전문화와 세분화를 통해 지속적으로 학문의 변화를 발전시켜왔다. 의료분야 전문가주의의 공공성은 공공의료로, 그리고 배타성은 의사집단의 구축, 자율성은 국가 보험과 정책의 관리로 나타난다.

의료분야 전문가주의 요소와 공간구성의 변화 내용

요소	내용
전문성	의료개념의 변화로 인한 공간분화 및 확장
체계성	의료분야 기초 전문교육과 임상연구
공공성	공공의료정책과 예방의료
배타성	유사학문의 분리
자율성	의료보험 확대, 행정관리 분야 분리

한국 의료분야 전문가주의의 역사적 고찰

전문가주의가 자생적으로 형성된 서양과 달리, 한국 의료분야 전문가주의는 1900년 전후 근대국가 성립 시기의 정부에 의하여 외국에서 수입되었다. 그로 인해 서구적 근대화를 지향하는 국가의 필요에 의하여 주어지고 보호 육성된 성격이 강하다. 이러한 한국의 조합주의적 전문가주의는 경쟁 집단과 경쟁을 통한 지배가 아닌 경쟁 집단 간의 중복된 업무와 명확하지 않은 체계를 갖은 채 동반 성장해 왔다. 최근에는 정부의 규제, 소비자주의 출현, 그리고 전문가주의 공급으로 인한 조직 내 경쟁 등 전문가주의의 사회적, 경제적 위치가 변화하기에 이르렀다.

한국 의료분야 전문가주의 대표공간인 서울대학교병원은 역사적으로 서울대한의원에서 시작하여 조선총독부의원, 경성제국대학교 의학부 부속의원, 국립서울대학교 의과대학 부속병원, 그리고 현재 서울대학교병원까지 지속적으로 변화하고 발전해 왔다. 이러한 과정에서 의료시스템의 변화를 반영한 병동의 확대와 그에 따른 지속적인 증축과 본관의 신축, 그리고 또 다른 증축과정의 반복을 겪어왔다. 서울대학교병원은 어린이병원과 암병원 등 임상공간, 의과대학과 간호대학 등 교육공간, 치과대학과 치과병원, 다수의 의학연구소와 함께 의학캠퍼스를 구성하며 공간도 지속해서 변화 발전하였다.

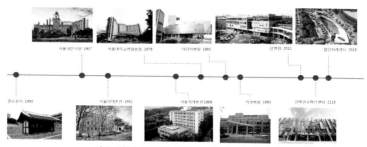

서울대학교병원 병원건축의 변화과정

전문가주의 요소와 서울대학교병원 공간구성의 관계

서울대학교 의학캠퍼스의 공간구성을 한국 의료분야 전문가주의 요소인 전문성, 체계성, 공공성, 배타성, 그리고 자율성에 따라 분석하고 관계성을 살펴본다.

전문성(Expertise)

서울대학교 의학캠퍼스는 전문가주의 전문성에 따라 진료 부문의 지속적인 분화와 통합이 나타나고 이에 따라 공간구성도 변화하였는데, 본관에서 어린이병원과 암병원의 분화 및 공간적 독립이 대표적이다. 이와 더불어 연건캠퍼스 본원에서 1990년대 신도시의 확장에 따른 분원을 분당 신도시에 개원하게 되면서 복수의 병원이 형성되었다. 2010년 이후에는 본원의 외래진료가 확장되고 기능에 따른 진료과목의 분화가 질환 종류별로 세분화되면서 진료센터의 형식으로 발전하였고 최근에는 첨단외래진료센터로 분리되면서 새로운 공간구성이 나타나게 되었다. 이처럼 의료공간 공간구성의 변화는 의료분야 전문성의 변화에 따라 변화하여 왔다.

체계성(Systemicity)

전문가주의의 체계성은 주로 의료분야 전문교육으로 나타나는데 이는 서울대학교 의과대학과 의료전문대학원이라는 교육공간, 그리고 임상연구를 위한 의료분야 연구공간이 분리되어 의생명연구원과 의학연구혁신센터 등이 별도로 형성되었다. 교육공간과 연구공간은 임상공간인 서울대학교병원의 주변에 배치되어 병원과 긴밀한 관계를 맺으면서 다양한 의료분야에 관한 기초를 제공하고 있다.

공공성(Publicness)

서울대학교 의학캠퍼스에서 공공성과 관련된 공간은 정부의 공공의료정책의 변화에 따라 이를 담당하는 보건대학원의 역할이 확대되면서 관악캠퍼스로 이전하게 되었다. 그리고 진료의 개념이 치료에서 예방으로 전환되면서 건강검진센터와 공공의료를 강화하게 되었다. 이로 인하여 의료분야 전문가주의의 공공성이 강화되는 계기가 되었다.

배타성(Exclusiveness)

의료분야 전문가주의 배타성은 치과와 같은 의료분야 유사학문의 분화로 나타난다. 대한의원의 외래 과목이었던 치과가 1922년 경성치과의학교, 서울대학교 치과대학과 치과병원으로 합병되어 의료분아에서 독립 분리되었다. 이는 전문성의 세분화 과정이면서 의사라는 전문직의 배타성을 위한 과정이라 할 수 있다.

자율성(Autonomy)

전문가주의 요소 중 자율성은 가장 중요한 요소이다. 의료분야는 의료보험의 확대, 의약분업 사태 등으로 의료행정 및 관리 부분도 증가하였고 이는 의사와 정부의 관계에 변화가 나타나면서 전문가주의의 자율성이 조정되는 계기가 되었다. 최근에는 정부의 개입과 소비자주의로 인하여 상대적으로 자율성이 감소하였다.

　　서울대학교 병원과 의학캠퍼스는 본원을 중심으로 어린이병원, 암병원, 치과병원 등이 중심이 되고 교육공간과 연구공간이 주변에서 임상공간을 보조하는 공간의 배치가 나타난다. 또한, 서울대한의원은 현재 의학박물관으로 전환하고 주변의 자연 요소를 이용하여 휴식과 치유환경을 조성하였다. 최근 지하와 지상의 첨단외래진료센터는 본원과 의학박물관을 연결하여 새로운 공간구성을 형성하였다. 서울대학교 병원과 의학캠퍼스에서 전문가주의 요소와 공간의 관계는 다음과 같다.

서울대학교 병원의 전문가주의 요소와 공간구성의 관계

요소	내용
전문성	의료개념의 변화로 인한 공간분화 및 확장 -어린이병원, 암병원, 첨단외래진료센터
체계성	의학전문교육-의과대학 및 전문대학원 임상연구-의생명연구원, 의학연구혁신센터
공공성	공공의료정책-보건대학원 관악 이전 예방의료-강남건강검진센터
배타성	유사학문 분리-치과병원, 치과대학
자율성	의료보험 확대, 행정관리분야 분리

08. 한국 내 치과분야 전문가주의와 공간구성 관계

서양 사회에서 19세기 근대국가 형성 시기에 전문지식을 기반으로 전문가 집단이 출현하고 국가가 그들의 자율성과 배타성을 인정하고 공공성을 통한 사회정의와 통치를 이루어 온 전문가주의의 대표적인 분야가 의과분야와 치과분야이다. 1900년대 경 서양에서 수입된 한국의 치과의료체계는 최근 소비자주의와 국가의 규제 및 조직 내부의 경쟁 등 변화에도 불구하고 도시 내 다양한 치과공간을 통하여 사회에 일정한 역할을 하고 있다.

한국 내 치과의료체계와 치과공간 분류

한국 근대 치의학은 임상분야와 교육분야로 나뉘어서 진행되었는데 한국 치과공간의 변화는 근대화에 따른 도시의 확장과 치의학 및 건축학의 발전에도 영향을 받아서 1969년에 근대식 치과대학과 부속치과병원을 설립하였다. 이후 한국 치의학은 1980년대 말 임플란트의 도입, 2000년대 치의학전문대학원 교육체제 전환, 2010년대 치과전문의 본격 시행 등 치의학 시스템의 변화와 그에 따른 치과공간의 변화가 나타났다.

치과공간은 크게 교육연구공간, 임상공간, 공중보건공간으로 나눈다. 교육연구공간은 치과대학/치의학대학원으로 기초치의학 교육과 연구공간, 임상치의학의 기초실습공간, 관리공간으로 구분한다. 임상공간은 치과대학병원이 대표적이며 진료부문과 임상교육 및 연구부문으로 구분하는데 환자 진료에 관한 외래 임상 공간과 원내생 및 수련의 교육공간 등 교육공간이 중심공간이다. 의과대학 병원 내 치과의 경우 한국 내 특수한 상황인 의료법에 의한 결과로 치과 주요 진료과목을 중심으로 구성된다. 치과병원은 다수의 치과의사가 전문 진료를 하는 집단개원의 형태이다. 치과의원은 소유자와 경영인이 치과의사들이며 치과의사를 중심으로 기능성, 효율성을 중심으로 이루어진다. 공중보건 공간은 보건소와 장애인구강진료센터와 함께 치과대학병원 내 임상공간의 일부와 치의학대학원의 교육연구공간을 사용하며 치과의원의 구강 검진 등 치과 임상 시스템을 이용한 보건정책이 진행되고 있다. 한국 내 치과공간의 분류와 특징을 살펴보면 다음과 같다.

한국 내 치과공간의 분류

항목	교육 및 연구	임상진료	공중보건
종류	치과대학 치의학대학원	치과대학병원 의과대학병원 내 치과 치과병원 네트워크 치과 치과의원	보건소 장애인치과진료 센터
요구 프로그 램	교육시설 연구시설 치과경영	외래진료실, 수술실 입원실, 공급실, 행정실 임상 교육시설 임상 연구시설	예방치과 공중보건시설

한국 치과분야 전문가주의 특성

치과분야 전문가주의 특성들은 다양하나 그 중 공통적으로 나타난 요소들을 살펴보면 전문성, 체계성, 배타성, 자율성, 공공성 등이다. 전문가주의 요소별 특성을 살펴보면 전문성은 치과분야 전문화와 세분화를 통한 치과대학병원의 진료과목의 증가와 과목별 독립된 진료공간의 확립, 체계성은 전문가주의 정규교육을 담당하는 치과대학/치의학대학원과 치과대학병원의 관계, 배타성은 치과를 의무적으로 포함시켜야 하는 종합병원 규정으로 인하여 배타성이 조정된 의과대학병원 내 치과, 자율성은 치과분야 내 경쟁구조 통제 및 윤리규정과 연관된 네트워크 치과의 공간, 공공성은 예방사업과 장애인 치과진료를 담당하는 보건소와 장애인치과진료센터와 관련되어 있다.

치과분야 전문가주의 관련 공간과 특성

요소	치과공간	특성
전문성	치과대학병원	전문의 다양성
체계성	치과대학/치의학대학원	교육체계
배타성	의과대학병원 내 치과	치과/의과
자율성	네트워크 치과	자율성 갈등
공공성	보건소	비영리 공공선

전문성(Expertise)

전문가주의 요소 중 전문성은 한국 치과분야의 전문화와 과목의 세분화를 통한 전문성 확보의 과정으로 전문성과 연관된 치과공간은 치과대학과 치과대학병원이며, 한국 내 대표 치과대학병원인 서울대학교 치과병원의 전문화 변화과정을 살펴보면 1928년 초기에는 치과대학과 치과대학병원이 단일건물에 기초치의학 3개부, 임상치의학 3개부로 시작하였다. 이후 임상치의학은 8개 임상 과목으로, 치과대학은 기초치의학 7개 과목으로 세분화되었고 점차 확대되어서 전문과목은 10개의 기초치의학과 10개의 임상치의학으로 발전하였다.

체계성(Systemicity)

치과분야 전문가주의 체계성은 크게 치과정규교육과 치과의사협회의 조직으로 구분할 수 있다. 교육의 체계성은 치과대학/치의학대학원과 치과병원을 중심으로 하고 있다. 이들의 공간구성은 대학캠퍼스의 교육공간이 결정되고 주변에 임상공간이 형성되는 것이 일반적이며 대부분 대학교 캠퍼스 내에 설립되므로 위치는 모캠퍼스의 도시 내 위치로 결정되며, 의학/치의학 캠퍼스가 모캠퍼스와 분리되어 독립된 치과공간이 형성되기도 한다.

배타성(Exclusiveness)

전문가주의의 배타성은 치과의사 면허라는 자격의 국가인증으로 국가와 치과의사간의 우호적인 관계가 성립되고 국가는 전문가집단에게 치과분야의 국민 건강을 의뢰하게 되며 치과의사 집단은 배타성을 갖는다. 전문가주의 배타성의 한국 내 치과공간 적용은 의과대학병원 내 치과센터라는 특수한 사례에서 나타난다. 이와 같은 특수성은 의과대학병원이 치과대학병원에 비하여 절대적으로 많으며 의과대학병원 내 치과를 의무적으로 포함시켜야 하는 종합병원의 요건이 되는 의과병원의 배타성을 조정한 결과이다.

자율성(Autonomy)

전문가주의 핵심 요소인 자율통제는 시장에서 경쟁구조를 통제하는 시장에 대한 통제권, 전문직협회를 중심으로 전문직 윤리규정을 통한 자율규제, 수요자의 의존적인 관계를 통한 수요자에 대한 통제 등이다. 치과 전문가주의 내부경쟁은 치과의사의 공급과잉에 기인하며 그 결과 네트워크 치과의원와 일반 치과의원의 경쟁과 대립으로 인한 자율통제 조직의 와해와 자율성의 훼손이 나타나고 있다. 기업형 네트워크 치과의 번성은 기업환경이 불안정할수록 규모가 큰 조직이 유리하다는 조직군 생태학의 견해와 일치한다.

공공성(Publicness)

전문가주의의 바탕이 되는 공중보건분야는 1900년대는 치과의사에 의하여, 1980년대는 국민건강보험과 정부 주도의 구강정책으로 보건소 및 치과병원 내 공중보건 관련 공간을 이용하였다. 국가에 의한 구강보건공공의료는 예방치료 및 예방사업과 장애인구강진료가 주 활동이다. 장애인치과진료센터는 장애인 전용공간인 서울장애인치과병원을 포함, 장애인구강진료센터는 전국을 9개 권역으로 나누어 광역별로 설립되었다.

치과분야 전문가주의와 치과의료체계 상관관계

치과의료체계의 공간과 관계되는 전문가주의 요소들 분석 결과, 하나의 공간에 하나에서 다수의 요소와 관계됨을 알 수 있다. 치과대학병원과 치과대학/치의학대학원은 주로 임상 및 기초치의학과 관련된 전문성, 체계성, 공공성과 관련되며 그 중 치과대학병원은 전문성과 치과대학/치의학대학원은 체계성과 더 밀접하게 연관된다. 의과대학병원 내 치과센터는 한국 내 특수한 상황으로 일부 임상과목별 진료를 통한 전문성과 의과병원과 치과분야 사이에서 발생하는 배타성과 관련되며, 치과의원은 자율성, 그리고 공중보건공간은 공공성 등과 관련된다.

치과의료체계 공간과 치과분야 전문가주의 요소 관계

요소	치과대학 병원	치과대학/ 대학원	의과대학 병원 내 치과	치과의원	공중보건 센터
전문성	ooo	oo	o		
체계성	oo	ooo			
배타성			oo		
자율성				o	
공공성	o	o			o
공간 특성	수직적 적층	수직적 적층	수평적 확장	통합공간	통합공간

09. 한국 치과병원내 진료과목의 공간배분계획

한국 내 치과대학병원은 치아우식증과 치주병 같은 만성치과 질환에서 양악수술 같은 고난이도의 수술까지 광범위한 치과질환을 치료하는 공간이다. 이 질환들의 원인은 사회적 접촉과 같은 외부 환경요인들의 산물에서부터 인류의 유전인자에 이르기까지 다양하고 광범위하므로 치과진료가 전문화되고 세분화되면서 치과병원의 진료과목들이 다양해지고 그 결과 각과의 독립 및 분화가 이루어졌으나 최근에는 오히려 일부 진료과목들이 융합되어야 하는 상황이 발생하기도 한다. 이러한 치과질환과 진료공간의 사용에 따라 분리, 통합되는 상관관계로 인하여 치과병원의 진료공간은 다양하며 복잡하게 구성되고 지속해서 변화됐다. 의료시설의 계획 및 설계에 있어서 체계적 접근에 관한 연구에 의하면 병원건축디자인의 주안점은 효율적이며 인간적인 진료 및 작업 환경을 추구하는 것이다. 즉 병원의 공간배분은 기능적이고 합리적일 뿐만 아니라 병원 내 각 공간이 입체적이며 종합적으로 계획되어야 한다.

치과대학병원의 진료과목과 특성

한국의 치과대학병원은 전국에 열한 곳이 있으며 교육을 담당하는 치과대학/치의학대학원과 연결되어 있으며 각 병원의 규모는 3-7층 건물로, 진료과목들은 8-11개 과목으로 다양하다.

한국 치과대학병원 현황

대학교	수련 병원	규모
국립서울대학교 (SNU, 1922, Seoul)	서울대학교 치과병원	7층 10진료과목
경희대학교 (KHU, 1966, 서울)	경희대학교 치과병원	4층 8진료과목
연세대학교 (YSU, 1967, 서울)	연세대학교 치과병원	6층 9진료과목
국립경북대학교 (KBNU, 1973, 대구)	경북대학교 치과병원	7층 8진료과목
조선대학교 (CSU, 1973, 전남)	조선대학교 치과병원	5층 9진료과목
국립전북대학교 (CBNU, 1978, 전북)	전북대학교 치과병원	4층 8진료과목
국립전남대학교 (CNNU, 1978, 전남)	전남대학교 치과병원	4층 8진료과목
원광대학교 (WKU, 1979, 전북)	원광대학교 치과병원	3층 8진료과목
국립부산대학교 (BNU, 1979, 부산)	양산 부산대학교 치과병원	4층 8진료과목
단국대학교 (DKU, 1979, 충남)	단국대학교 치과병원	5층 11진료과목
국립강릉원주대학교 (GWNU, 1992, 강원)	강릉원주대학교 치과병원	4층 10진료과목

출처: 2021년 병원 홈페이지 자료

치과대학병원의 진료과목들은 구강내과, 영상치의학과, 치과보존과, 치주과, 구강악안면외과, 치과교정과, 소아치과, 치과보철과, 구강병리과, 예방치과, 구강마취과 등이며 각 진료과목이 담당하고 있는 진료분야 및 특성들은 다음과 같다.

치과대학병원 진료과목 특성

진료과목	진료 범위	과목 특성
구강내과	초진환자의 검사 및 진단	초진환자
영상치의학과(OMFR)	방사선 검사 및 판독	많은 환자가 모임
치과보존과(CD)	치아 우식증 및 치수질환 및 치근단 질환에 대한 신경치료 시술	일반 치과환자의 진료
치주과	염증성 치주질환	내원이 정기적이며 지속적
구강악안면 외과(OMFS)	구강암, 악골 성형 및 재건술, 골절치료, 인공치아 식립, 사랑니 발치	수술실, 입원실 및 응급실
치과교정과	교정치료	정기적이고 지속적인 내원, 오후시간에 집중
소아치과(PD)	소아환자	독립된 진료공간
치과보철과	보철치료 및 임플란트보철치료	진료과정에서 최종적으로 마무리
구강병리과	생검 조직 진단	의뢰한 검사
예방치과	구강위생의 향상	교육공간 필요
구강마취과	전신마취와 진정법	외과 수술실과 연계

Note: The table above was built up from the author

구강내과(Oral Medicine)는 치과진료에서 초진환자의 검사를 통한 적절한 치료계획과 구강내과적 질환, 턱관절 환자의 임상검사를 통한 진단 및 치료 등을 담당하고 있어 치과병원을 방문하는 초진환자가 제일 먼저 거쳐야 하는 진료공간이다[37].

영상치의학과(Oral and Maxillofacial Radiology: OMFR)는 다양한 의료영상을 통하여 치과영역의 질환을 진단하는 부서로 다양한 방사선 검사 및 판독한다. 초진환자 진단 시, 진료 중 및 후의 결과를 확인하기 위하여 방문하여야 하는 곳으로 많은 환자들이 몰리게 되는 공간이다.

치과보존과(Conservative Dentistry: CD)는 치아 우식증 및 치수질환 및 치근단 질환에 대한 신경치료 시술을 시행하여 동통을 제거하고 치아의 저작, 발음, 심미 기능을 회복시켜는 분야로 치주과와 더불어 일반 치과환자의 진료가 가장 많이 이루어지는 공간이다.

치주과(Periodontics)에서는 치은염이나 치주염(풍치)의 염증성 치주질환의 치료와 인공치아 식립을 시행한다. 만성질환의 특성상 내원이 정기적이며 지속적으로 이루어진다.

구강악안면외과(Oral and Maxillofacial Surgery: OMFS)는 구강암, 악골 성형 및 재건술, 골절치료, 인공치아 식립, 사랑니 발치 등을 진료한다. 치과 진료과목 중 유일하게 수술실, 입원실 및 응급실과도 연관된다.

치과교정과(Orthodontics)에서는 성장기 및 성인환자의 악안면 교정치료 및 악안면골 교정-수술 복합치료, 그리고 다양한 안면기형 환자들의 교정적, 정형적 치료를 시행하고 있다. 교정과 환자는 정기적이고 지속적인 내원이 필요하며 학생환자들이 많아 오후시간에 집중적으로 몰리는 경향이 있다.

소아치과(Pedodontic Dentistry; PD)는 출생부터 청소년에 이르는 연령층을 대상으로 치과 질환 전반의 치과 질환 치료가 이루어진다. 진료시 소아환자의 행동관리가 필요하므로 그에 따른 독립된 진료공간이 고려되어야 한다.

치과보철과(Prosthodontics)는 치아가 결손된 환자들의 기능회복과 심미적 개선을 가져오기 위한 보철치료 및 임플란트보철치료를 담당한다. 전체 치과 진료과정에서 최종적으로 마무리하는 곳이다. 진료 환자 수는 적어도 환자 당 진료시간이 긴 것이 특징이다.

구강병리과(Oral Pathology)에서는 각 과로부터 의뢰받은 생검 조직에 대해 정확한 진단을 통하여 적절한 치료가 이루어질 수 있도록 한다. 구강악안면외과, 치과보존과와 치주과 등에서 의뢰한 검사를 수행하며 공간적으로 제약을 받지 않는다.

예방치과(Oral Prevention)는 구강관련 질병이 생기기 전 구강위생의 향상과 불소도포 및 치아 홈 메우기, 정기적인 치면 세마 등 예방 처치를 통하여 병의 발생을 막고자 하는 전문분야로 지역사회의 구강검진을 통하여 질병의 발견과 치료 필요에 대한 인식을 증진시킨다. 치과 질환의 예방 교육을 위한 칫솔질 교육공간(TBI; Tooth Brushing Instruction)이 필요하다.

구강마취과(Oral Anesthesiology)는 구강악안면외과 환자를 위한 전신마취와 진정법, 응급상황에 대한 관리를 시행한다. 구강외과 수술실과 연계하여서 구성하는 것이 일반적이다.

이외에 치과병원에 따라 통합치과, 종합진료실, 특수진료실, 임플란트 클리닉, 통합진료실 등 다양한 특수진료실이 설립되어 있다.

치과병원들의 공간은 기본적으로 병원 대지의 공간적 한계와 요구 건축공간에 따라 다양한 규모로 나타났으며 건축공간의 한계 내에서 진료과목의 배치는 각 층의 공급면적과 진료과목의 필요공간에 따라 배분된다.

치과병원 공간배분 유형

치과병원 진료과목들 공간분배계획은 크게 수평적 배치와 수직적 배치 두 가지로 분류할 수 있다. 수평적 배치는 한 층에 진료과목 세, 네 개를 배치하여 기능적으로 공간적으로 연결하여 진료하는 것이며 수직적 배치의 경우는 치과 진료과목을 분리하여 수직적으로 적층시켜 각 과목의 공간적 독립성을 강화하는 방법이다. 수평적 배치의 경우는 경희대학교, 원광대학교, 전북대학교, 단국대학교, 조선대학교, 강릉원주대학교, 전남대학교, 부산대학교, 연세대학교 치과병원 등 열한 곳 치과병원 중 아홉 곳의 치과병원이다. 수평적 배치의 대표사례인 경희대학교 치과병원의 공간구성을 살펴보면 여러 진료과목이 한 층의 공간을 점유하고 있음을 알 수 있다.

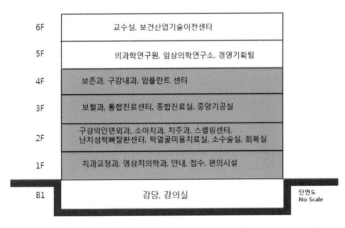

6F	교수실, 보건산업기술이전센터
5F	의과학연구원, 임상의학연구소, 경영기획팀
4F	보존과, 구강내과, 임플란트 센터
3F	보철과, 통합진료센터, 종합진료실, 중앙기공실
2F	구강악안면외과, 소아치과, 치주과, 스켈링센터, 난치성턱뼈질환센터, 턱얼굴미용치료실, 소수술실, 회복실
1F	치과교정과, 영상치의학과, 안내, 접수, 편의시설
B1	강당, 강의실

단면도
No Scale

경희대학교 치과병원 공간 구성(단면 다이어그램)

이와는 다르게 서울대학교 치과병원, 경북대학교 치과병원은 수직적 배치의 경우인데 각층별로 주요 진료과목 한, 두개와 진료과목에 필요한 지원 공간들을 연결하여 각층이 하나의 진료과목의 공간으로 사용하게 구성하였다. 그 결과 각 진료과목의 독립성이 강화되었으나 협진공간이 별도로 필요하게 되고 모든 이용자가 수직적 이동 동선을 이용하게 되어 동선의 이동이 많아지는 단점이 발생하였다.

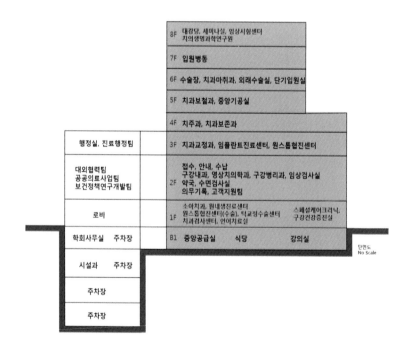

서울대학교 치과병원 공간 구성(단면 다이어그램)

서울대학교 치과병원은 이러한 동선의 단점을 극복하기 위하여 진료공간, 연구공간, 행정공간으로 명확하게 공간을 분리하는 평면 구성과 각 층의 진료실과 진료과목을 중심으로 환자 및 의료인들의 동선을 분리 및 통합하는 합리적 동선체계를 유지하고 수직 중앙동선과 더불어 각각의 공간에 별도의 동선을 부여하였다.

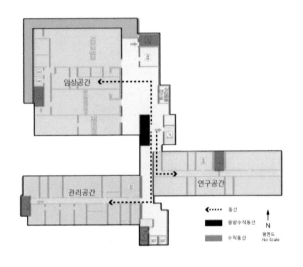

서울대학교 치과병원 수직동선(평면 다이어그램)

　　진료공간 배치와 공간 분화의 수평적 배분에서 수직적 배분으로의 변화가 서울대학교 치과병원에서 명확하게 나타나는데, 단일건물에 보존부, 보철부, 외과부의 3개부 및 치과대학으로 시작하였고 이전한 기단형 건물에서는 치과병원은 저층부에 수평적으로 배치되었고 치과대학은 고층부에 배치되었다. 이후 서울대학교 치과병원은 기존의 치과대학과 치과진료부에서 공간적으로 분리 독립하여 고층 건물로 신축 이전하고 진료공간은 수직적으로 배치되었다. 즉 진료공간 배분의 변화특성은 초기의 미분화된 단일형 건물에서 시작하여 수평적 분화를 거쳐 수직적 분화가 나타났다. 수평적 배치에서 수직적 배치의 변화과정에서 층별 구분이 진료과목별 구분이 되어 수직적 공간 적층이 나타나고 수직적 배치의 차이에 따라 이용자들의 동선에 차이가 생긴다.

서울대학교 치과병원 진료과목과 공간 구성 변화

	1929	1969	1993
공강 구성	단일 매스	기단형 매스 수평 확장	고층 매스, 수직 확장
진료 과목	보존부 보철부 외과부 (3)	치과보존과 치과보철과구강외과 소아치과 치주과 영상치의학과 구강내과 치과교정과 (8)	치과보존과 치과보철과구강외과 소아치과 치주과 영상치의학과 구강내과 치과교정과 치과마취과 구강병리과 (10)

치과병원은 병동부가 중심인 의과병원과는 다르게 외래진료부를 중심으로 구성되어 있다. 외래진료부는 진료과목별로 진료공간, 진료지원공간, 직원공간, 대기 및 공공공간 등으로 구성된다.

치과대학병원 진료과목 공간 구성

University	B1	1F	2F	3F	4F	5F	6F	7F
KBNU		Reception*	PD	**Orthodontics*** Oral Medicine	OMFR Student's Clinic	OMFS Periodontics	CD Prosthodontics	Operation Room Ward
BNU	Student's Clinic	Reception* **PD*** **OMFR***	CD Orthodontics Periodontics	OMFS Oral Medicine **Prosthodontics*** Special Clinic	**Operation Room*** Ward			
SNU(Yeongun)		**PD*** OMFS Student's Clinic Scaling Clinic Combined Clinic Exam. Room	Reception OMFR **Oral Medicine*** Oral Pathology	**Orthodontics*** Implant Clinic Combined Clinic	CD Periodontics	Prosthodontics	Operation Room Oral Anesthesiology	Ward
CNNU		Reception* **PD*** Student's Clinic Combined Clinic	OMFR **OMFS*** Orthodontics **Oral Medicine***	**CD*** **Periodontics*** **Prosthodontics*** Implant Clinic	**Operation Room*** Ward			
GWNU		Reception* **OMFR*** Oral Pathology Student's Clinic	PD CD **Oral Medicine*** Oral Prevention	**Orthodontics*** **Prosthodontics*** **Periodontics***	OMFS **Operation Room*** Ward			
CSU		Reception* **PD*** **OMFR***	**OMFS*** **Operation Room*** Ward Periodontics	**CD*** Implant Clinic Oral Medicine	Orthodontics Prosthodontics	Student's Clinic Oral Prevention		
DKU		Reception* **OMFR*** Oral Prevention Student's Clinic	Implant Clinic Scaling Clinic Prosthodontics	**CD*** **Orthodontics***	Periodontics Oral Medicine Oral Pathology	PD OMFS Oral Anesthesiology Operation Room Ward		

89

치과대학병원 진료과목 공간 구성(계속)

University	B1	1F	2F	3F	4F	5F	6F	7F
KHU		Reception* **OMFR*** Orthodontics	PD **OMFS*** Periodontics Scaling Clinic **Operation Room*** Ward	**Prosthodontics*** Combined Clinic Student's Clinic	CD Oral Medicine Implant Clinic			
YSU		Combined Clinic Student's Clinic Special Clinic	Reception PD **Oral Medicine***	**Prosthodontics*** **Periodontics*** Senior Clinic	CD OMFR Implant Clinic	OMFS Operation Room Ward Orthodontics	VIP Clinic Oral Pathology	
CBNU	Student's Clinic	Reception* **PD*** **OMFR*** Oral Medicine	**OMFS*** Orthodontics **Operation Room*** Ward	**CD*** **Periodontics*** Combined Clinic	Prosthodontics			
WKU		Reception* **OMFR*** OMFS Oral Medicine Operation Room Ward	CD Student's Clinic Prosthodontics Implant Clinic	PD **Orthodontics*** **Periodontics***				

Note: The table above was built up from the author
Bold* indicates the preference dental care department of each floor in dental hospital

　　각 진료과목의 위치와 공간구성의 특징들을 살펴보면 접수 및 안내는 대부분 치과병원에서 주 출입구와 연계되어 위치하나 연세대학교 치과병원처럼 주출입구는 일층이나 접수는 이층으로 출입구와 접수를 공간적으로 분리한 경우도 있다. 초진환자의 진료가 필수인 구강내과와 진단을 위한 검사공간인 영상치의학과는 접근성이 좋은 저층에 위치하는데 구강내과가 검사 및 진단보다는 내과질환이나 턱관절 진료의 전문진료를 강화한 경희대학교 치과병원은 저층부보다는 고층부의 독립된 공간에 위치하기도 하였다. 소아치과의 경우는 소아들의 접근성과 관리 편의를 위하여 대부분의 치과병원에서 저층부에 배치하였다. 치과교정과는 빈번하고 정기적인 환자들이며 오후 시간에 집중적으로 몰리는 경향이 있어서 저층부에 배치하여서 전체적인 동선을 원활하게 하려는 시도가 나타났으며, 구강악안면외과는 대부분 응급환자나 외래진료를 중요하게 고려하여 저층부에 배치하나 수술실과 입원병동과의 관계를 고려한 경북대학교 치과병원, 단국대학교 치과병원, 연세대학교 치과병원 경우는 고층부에 배치하여 외래진료 중심인 다른 진료과목과 공간적으로 분리한 경우도 있었다. 치과보존과와 치주과는 특별한 공간적 제약이나 요구사항이 많지 않은 편이나 각 과와의 편리한 연결성이 고려되어서 중간층에 배치하는 경우가 많았다. 치과보철과는 치과 진료 과정순서에서 최종으로 진료하게 되는 공간이며 소수의 환자와 환자마다 상대적으로 긴 진료시간이 필요하며 치과보존과, 치주과, 중앙기공실이 연결되어야 하므로 주로 중간층이나 상부층에 위치하였다. 예방치과와 구강병리과는 크게 공간에 구애받지 않게 배치되었다.

치과대학병원의 진료과목 수직 배분 분류

Reception	1F(9)*, F(2)
Oral Medicine	1F(2), F(4)*, 3F(3), 4F(2)
OMFR	1F(7)*, 2F(2), 4F(2)
PD	1F(5)*, 2F(4), 3F(1), 5F(1)
Orthodontics	1F(1), 2F(3), 3F(5)*, 4F(1), 5F(1)
OMFS	1F(2), 2F(4)*, 3F(1), 4F(1), 5F(3)
CD	2F(3), 3F(4)*, 4F(3), 6F(1)
Periodontics	2F(3), 3F(5)*, 4F(2), 5F(1)
Prosthodontics	2F(2), 3F(5)*, 4F(2), 5F(1), 6F(1)
Oral Pathology	1F(1), 2F(1), 4F(1), 6F(1)
Oral Prevention	1F(1), 2F(1), 5F(1)
Operation Room	1F(1), 2F(3)*, 4F(3)*, 5F(2), 6F(1), 7F(1)

Note: The table above was built up from the author
Number in the brackets indicates the number of dental hospital. Bold* indicates the preference floor of dental care department

치과 진료과목 공간 배분 요소

치과병원의 진료과목의 공간 구성 및 배분계획은 진료과목들의 진료특성이 다르므로 각 진료과의 진료특성과 이용자들의 행동양식들의 파악이 필요하며 연관된 다양한 요소들을 고려하여야 한다. 그 중 공통적으로 나타난 요소들을 살펴보면 과목별 연관성(Zoning), 진료동선, 접근성, 방문빈도수 및 진료시간, 그리고 진료개념의 변화에 따른 공간변화 등이다. 각 요소별로 치과병원 진료과목의 배분 및 공간구성의 특징들을 분석하였다.

조닝(Zoning): 과별 관계성

치과 진료과목들의 과목별 연관성을 통한 조닝을 살펴보면 진단 및 검사과정, 치과의 기본적인 진료과목들, 연령대와 진료영역의 유사함, 그리고 수술에 관련된 진료과목들 등 네 가지로 나눌 수 있다. 처음 치과병원에 내원한 초진 환자의 진단에 필요한 문진 및 검사과정 진료과목은 구강내과와 영상치의학과로 주로 접근이 용이한 곳에 위치하였고, 치아우식증과 치주병과 같은 치과의 기본적인 진료과목인 치과보존과와 치주과는 서로 접근이 용이하게 가깝게 배치되었다. 대부분의 환자가 아동과 청소년이며 성장을 이용한 악교정은 소아치과에서 진행하다 교정과로 진료의뢰 되는 등 진료내용이 일부 겹치는 치과 교정분야는 소아치과와 치과교정과는 나눠지는데 이 두 분야는 진료분야는 연관되지만 환자들의 연령 차이 및 소아진료의 행동관리 특성로 인하여 공간적으로는 연관시켜 배치하지는 않는 것으로 나타났다. 양악수술, 구강암 등 전신마취 및 수술과 관련된 구강악안면외과, 구강마취과, 구강병리과 등은 검사와 간단한 처지의 외래공간과 수술실, 마취과 및 입원실을 통합하여 사용하지만, 경북대학교 치과병원과 서울대학교 치과병원은 별도의 공간으로 배치하였다.

치과대학병원 진료과목 조닝

조닝 특성	진료과목
초진	Oral Medicine OMFR
기본진료	CD Periodontics
소아 청소년	PD Orthodontics
치과 수술	OMFS Operation Room Oral Anesthesiology Oral Pathology

Note: The table above was built up from the author

과별 연관성에 따라 진료과목을 배치할 경우 수평적 배치와 수직적 배치에 차이가 나타나서 수평적 배치의 경우 관련과목을 한 공간에 배치하여 공간을 연결하나 수직적 배치의 경우는 주요 진료과목들을 층별로 분리하고 수직 동선을 통하여 연결하였다.

동선(Circulation)
치과병원의 진료 동선 중 전체 진료과목의 동선 연결도는 내원 환자의 진단 및 검사하는 구강내과와 영상의학과에서 치료계획이 수립된 후 기본 진료과인 치과보존과, 치주과, 구강악안면외과, 교정과 그리고 소아치과 등 각 진료과로 연결되며 진료과에서 치료가 완료되면 치과보철과에서 보철치료로 최종진료를 마무리하게 된다. 소아치과 치료는 다른 과와 달리 독립적으로 진행하게 되므로 소아에 관련된 모든 치과 치료를 하는 독립된 별도의 공간으로 배치하게 된다.

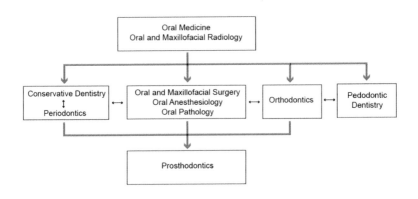

치과대학병원 진료과목 흐름(Flow Chart)

동선과 진료과목의 배치 관계를 살펴보면 구강내과와 영상의학과는 일층 또는 이층의 저층부에 배치되어 초진환자들이 이용하게 되며 이층에서 삼층의 중간층에서 다양한 치과 치료 후 상층부인 치과보철과에서 마무리 할 수 있게 하며 소아치과는 별도의 저층부인 일층에 배치하게 된다.

치과대학병원 동선 관련 진료과목 배분

동선	진료과목	주 배분 공간*
구강 검진 및 진단	Oral Medicine	2F
	OMFR	1F
지과 진료	CD	3F
	Periodontics	3F
	Orthodontics	2F
	OMFS	2F(4F)
최종 진료	Prosthodontics	3F
소아 청소년	PD	1F

Note: The table above was built up from the author
*indicates allocation planning of dental care departments

치과병원은 환자, 의료인, 지원부서 인력 등 다양한 사람들이 모이는 공간이므로 이들의 동선을 중심으로 기능적인 공간 배분을 고려하여야 한다. 구체적으로 살펴보면 환자의 동선은 초진과 재진의 경우가 다르다. 초진의 경우는 전체적인 구강 검사와 치과질환의 진단을 한 후에 각 진료과로 이동하여야 하므로 구강내과와 영상치의학과를 필수로 방문하여야 한다. 그러므로 구강내과와 영상의학과는 초진환자의 방문시 불편하지 않게 위치하여야 하며 대부분의 치과병원은 주출입구에 가깝게 배치하였다. 재진의 경우 환자는 직접 각 진료과로 방문한다. 치과보존과와 치주과는 치과질환의 기본진료를 담당하며 서로 상호 보완되는 치료의 의뢰가 필요하므로 공간적으로 가까운 곳이 선호되며 치과보철과는 다른 진료과목의 진료가 이루어진 후 최종의 치과진료가 시행되는 곳이므로 공간적인 간섭이 덜 되는 곳에 위치하였다. 구강악안면외과는 외래 진료와 더불어 응급실, 수술장 및 입원병동 등 다양한 공간들의 동선이 필요하므로 적절하게 공간을 분리하여 배치하나 동선의 효율이 고려되어야 한다.

　　의료인 동선은 환자들의 동선과 진료공간에서는 겹쳐지나 다른 공간에서는 명확히 분리되는데 의료인들은 각자의 공간에서 진료공간으로의 이동이 필수적이며 환자들의 동선과는 진료실 이외에서 분리되는 것이 공간 활용의 효율성에서 좋다. 의료인 중 치과의사, 교수를 중심으로 수련의, 치과대학/치의학 대학원 학생, 치위생사와 의료기사 등의 동선들이 다를 수 있음이 고려되어야 한다. 의무기록 및 의료 행정을 담당하는 인력들의 동선은 진료공간에 방해되는 않는 최소한의 범위에서 배치하며 접수 및 수납 등의 공간은 환자들의 접근성과 인지가 용이한 공간에 위치되었다.

　　치과 진료공간 접근(Access for Dental Department)
　　치과병원의 주출입구는 환자 및 직원들 등 대부분 사람들의 출입이 이루어지며 외부에서 접근이 용이한 곳에 위치한다. 주출입구는 환자 및 사용자의 빈번한 출입으로 인하여 혼잡하며 출입구를 기준으로 짧게 머무르거나 쉽게 접근할 수 있는 접수나 소아치과의 공간들을 주출입구 근처에 배치하고 진료시간이 긴 치과보철과나 수술실 등 외부와의 접근이 덜 개방적인 것이 유리한 공간은 주출입구에서 멀게 배치하였다.

치과대학병원 접근 관련 진료과목 배분

진료과목	주 배분 공간*
주출입구	1F
Reception	1F
PD	1F
Operation Room, Ward	2F(4F)
Prosthodontics	3F

Note: The table above was built up from the author
*indicates allocation planning of dental care departments

주출입구와 별도의 부출입구가 있는 강릉원주대학 치과병원
의 경우는 치과병원의 전면에 주출입구가 있고 치과병원 후면에
별도의 주차장이 있는 병원 후면에 부출입구를 배치하여 환자들의
접근 편리성을 강화한 경우이다.

강릉원주대학교 치과병원 주출입구

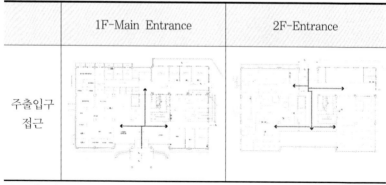

	1F-Main Entrance	2F-Entrance
주출입구 접근		

Note: The table above was built up from the author

강릉원주대학교 치과병원의 주출입구가 있는 1층에는 접수 및 수납, 로비 등이 배치되고 부출입구가 있는 2층에는 소아치과를 배치하여 접근성이 용이하게 하였다. 또한, 치과병원은 주변의 치과대학과 연결되어 교수 및 학생들을 위한 별도의 출입구가 있다.

　　연세대학교 치과병원의 경우 내부 사용자를 위한 별도의 통로들로 치과대학과 연결되고 병원 일층은 원내생 클리닉 그리고 최상부층은 강당, 교수실, 세미나실 등 교육과 임상 공간의 상호 접근성을 고려한 프로그램들이 배치되었다.

강당, 교수실, 세미나실 의무기록실	7F	연결통로	공동실험실, 임상과연구실, 치의예과 강의실, 교수실	
쉐플리 클리닉, 병원장실, 경영지원팀, 임상병리실, 교수실, 세미나실	6F		구강생물학교실, 세미나실	
교정과, 구강악안면외과, 병실	5F		구강병리학교실, 치과생체재료공학교실, 서병인 홀, PBL실	
보존과, 구강악안면방사선과, 임플란트 클리닉	4F		대형강의실, 예방치과학교실, 기초실습실, 해부실습실, 치과의교기기시험평가센터	
보철과, 치주과, 시니어 클리닉, 중앙기공실	3F		대형강의실, 치과실습실, 현미경실습실, 세미나실	
소아치과, 구강내과, 수납, 안내, 편의 및 판매시설	2F		대형강의실, 임상전단계실습실	휴게실, 동아리방
통합진료과, 원내생 클리닉, 특수 클리닉, 중앙멸균실, 당직실	1F	연결통로	대형강의실　치의학 박물관	학장실, 행정실
체력단련실	B1	주차장		
물품보관실	B2	주차장		

단면도
No Scale

연세대학교 치과병원 공간 구성(단면 다이어그램)

방문 빈도수와 진료시간(Frequency of Visit and Treatment Care Time)

치과병원의 진료과목 배치는 각 진료과목을 방문하는 환자들의 빈도수와 진료에 걸리는 시간이 고려된다. 진료시간이 비교적 짧은 예방치과, 치과보존과나 치주과는 공간인지가 쉽고 개방적인 공간에 배치되고, 진료시간이 오래 걸리는 치과보철과나 구강악안면외과는 덜 개방적인 곳에 배치된다. 치과 진료의 성격상 장기간 정기적으로 방문하는 치과교정과 환자들은 지속적인 재방문으로 공간구조가 익숙해지므로 덜 개방적이지만 독립된 공간이 선호된다.

방문 빈도수와 진료시간

방문 빈도수 (From Less to More)	진료시간 (From Short to Long)
Oral Medicine OMFR	Oral Medicine OMFR
PD CD Periodontics	Orthodontics
OMFS	PD CD Periodontics
Prosthodontics	OMFS
Orthodontics	Prosthodontics

Note: The table above was built up from the author

진료 개념의 변화(치료에서 질병 조절로 전환)

기존의 치과병원들은 진료과목별로 세분화되고 전문화되어서 진료공간도 별도의 독립공간을 선호하였다. 그러나 최근에는 치과 질병과 진료방법이 변화하면서 여러 전문과목의 협진이 필요한 진료공간의 센터화가 진행되어 임플란트진료센터, 구강악안면기형진료센터, 원스톱협진센터 등의 공간들이 마련되었고 치과병원의 교육 및 실습공간인 원내생진료실은 다양한 진료과목이 동시에 진행되는 공간들이 나타나게 되었다. 그 결과 치과병원의 진료공간들은 더욱 세분화되고 동선은 더욱 복잡해지는 결과가 되었다.

연세대학교 치과병원의 통합진료과는 성격이 유사한 원내생 클리닉과 같은 공간에 그리고 VIP 전용 진료실인 쉐플리 클리닉은 진료과 구분없이 병원 상층부에 별도의 공간으로 마련되었다. 치과대학병원에만 존재하는 원내생진료실은 치과대학/치의학대학원의 학생들의 임상교육을 위한 공간으로 학생들과 각 진료과목 치과의사 및 수련의들이 빈번하게 방문하므로 이들의 동선 및 공간의 성격이 고려되는데, 부산대학교 치과병원과 전북대학교 치과병원의 경우는 원내생들이 동시에 진료가 가능하도록 독립된 원내생진료실을 지하에 별도의 공간으로 배치하였다. 치료에서 예방의 개념 변화로 인한 예방치과의 경우는 스케일링 크리닉, 예방교육실 등 비교적 간단한 진료이므로 특별한 공간 특성 없이 접근이 용이한 곳에 배치되었다.

서울대학교 치과병원의 임플란트진료센터는 구강악안면외과, 치주과 및 치과보철과, 턱교정수술센터는 구강악안면외과, 치과교정과와 치과보철과, 원스톱협진센터는 모든 치과진료과목들의 협진이 필요하므로 주요 진료과목 주변에 배치하여 협진을 용이하게 하였다.

서울대학교 치과병원 특수진료센터

특수진료센터	진료과목
Implant Center	OMFS
	Periodontics
	Prosthodontics
Orthognathic Surgery Center	Orthodontics
	OMFS
Maxillofacial Deformity Clinic	Orthodontics
	OMFS
	PD
One-Stop Specialty Center	CD
	Periodontics
	OMFS
	Prosthodontics
Pre-Doctoral Practice Center	CD
	Periodontics
	OMFS
	Prosthodontics

Note: The table above was built up from the author

10. 한국 내 의과대학병원 내 치과의 공간구성 특성

한국 내 치과는 서양 치의학 도입 초기에는 의과대학병원 내 외래진료과목의 한 분야이었으나 이후 독립하여 현재는 전국에 11개의 치과대학과 치과대학부속치과병원으로 확대되었다. 이 과정에서 한국 내 치과임상공간은 치과대학/치의학대학원의 부속 치과병원, 의과대학병원 내 치과, 치과병의원, 공공치과병원 등 다양하게 세분화되고 전문화되어 왔다. 특히 최근에는 치과분야 전문의제도의 활성화로 치과 공간의 변화가 빠르게 진행되고 있다. 그러나 치의학 도입 초기의 진료형태인 의과대학병원 외래진료부 내 치과/치과센터는 현재까지도 유지되고 있다. 이러한 치과임상공간의 다양성과 관계를 고려하여 서울지역 의과대학병원 내 치과를 중심으로 현황과 공간구성 등 건축 계획적 특이점들을 분석한다.

의과대학병원 내 치과공간

의과대학병원 외래진료부 내 치과는 한국에 나타나는 특수한 형태의 진료공간이다. 한국 의료법에 의하면 종합병원의 요건 중 진료과목에 치과가 포함되어야 한다.[38] 이는 한국 내 의과대학병원이 치과대학병원에 비하여 상대적으로 수가 많으며, 치과분야의 진료공간이 주로 개인치과의원이라는 특수성에 기인한 전문적 치과 진료의 기회 부여와 환자 진료의 편익을 위하여 의과대학병원 내 치과를 의무적으로 포함시켜 의과대학병원의 진료 다양성을 확보하고자 한 결과이다. 이로 인하여 대학병원 외래 및 입원 환자들의 치과 진료를 원활하게 하며 진료의 수준을 높이는 계기가 되었으나 의과대학병원의 공간적, 경영적 한계로 주요 진료과목들 중심으로 운영되고 있다.

의과대학병원 내 치과는 규모, 전문 임상 과목, 그리고 공간구성 등 다양하게 구성되어 있다. 의과대학병원 외래진료부에 속하여 같은 공간을 사용하기도 하고 의과대학병원이지만, 별도의 공간을 형성하여 치과병원으로 구성되기도 한다. 이러한 다양한 의과대학병원 내 치과의 공간구성을 유형화하면 의과대학병원 외래진료부와 같은 공간에 또는 별도의 건물에 배치되었는가에 따라 독립유형과 공유유형 등 두 가지로 나눌 수 있다.

독립유형의 치과공간

치과가 독립된 건물이나 별도의 별관에 위치하는 경우는 의과대학병원의 중심공간인 외래진료부가 확장되면서 공간의 한계로 인하여 의과대학병원 치과가 치과대학병원과 유사하게 전문화한 형태로 분화된 경우이다. 특히 최근 치과전문의제도가 시행되고 치과 내 전문임상과목을 표방하게 되면서 더욱 전문성을 확보하게 되었다. 서울지역의 이화여자대학교목동병원, 삼성서울병원, 순천향서울병원 치과는 기존 의과대학병원 내 외래공간의 협소함으로 인하여 별도 건물에 일부 의과 외래임상과목과 같이 위치하게 되었다. 또한, 삼육치과병원은 이와는 다르게 의과병원과는 별도의 독립된 건물에 진료공간을 형성하였다. 각 병원의 진료과목은 5-7개로 주로 치과교정과, 구강악안면외과, 치주과, 치과보존과, 치과보철과, 소아청소년치과 등으로 구성된다.

공유유형의 치과공간

이 유형은 치과가 의과대학병원의 외래진료부 내에 다른 임상과목들과 같은 공간을 공유하는 경우이다. 의과대학병원의 외래진료부 초기의 전형적인 유형이며 이후 외래진료부 규모가 증가하여 수평 확장과 2-4층으로 수직화되는 과정에서 병원에 따라 결정한 유사한 외래진료과목들을 분류하고 그에 맞춰 치과임상공간을 배치하게 되었다. 서울아산병원은 연건평 85,000평 총 2,704병상의 국내 최대 병원이다. 치과 공간은 외래진료부 2층에 영상의학과, 핵의학과, 안과, 성형외과, 피부과와 같이 구성되어 있다.[39] 서울성모병원 치과는 외래진료부 4층에 진단검사의학팀, 병리팀, 평생건강증진센터와 같이 배치되었다.[40] 한양대학교 서울병원의 경우는 본관 2층에 진단방사선과, 핵의학과, 산부인과, 비뇨기과와 구성되어 있는데 이곳은 치과가 외래진료부의 일정한 공간을 점유하면서 치과 내부공간에 5-7개의 치과 전문과목들을 나누고 구분하여 배치하였다

독립유형과 공유유형 공간구성 특성 비교

의과대학병원 내 독립유형의 치과 공간은 외래진료공간과 더불어 별도의 진료, 지원, 교육공간을 포함하며 공유유형은 외래공간에 진료공간을 중심으로 구성된다. 그러나 치과 내부공간은 유형

별로 커다란 차이가 나타나지 않으며 병원별로 차이가 나타난다. 진료공간이 중심인 내부공간구성은 치과보철과, 치과보존과, 치주과 등 유사한 주요 진료과목들은 근접하게 배치하여 진료의 기능적 효율을 높이고 수술이 필요한 구강악안면외과, 빈번한 내원이 필요한 치과교정과, 소아청소년치과는 별도의 출입구 등을 이용한 공간구성이 나타난다. 의과대학병원 내 치과의 공간구성의 특징을 독립유형과 공유유형으로 구분하여 공간 다이어그램으로 나타내면 다음과 같다.

의과대학병원 내 치과 공간구성 다이어그램

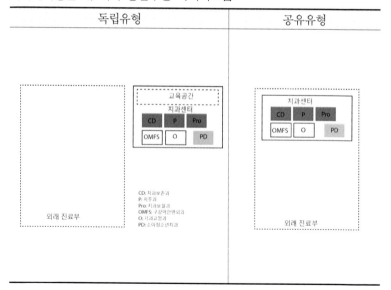

치과대학병원과 의과대학병원내 치과 공간구성 비교

　의과대학병원 내 치과의 공간구성은 치과대학/치의학대학원의 부속 치과병원과 공통점과 차이점이 나타난다. 주요 공통점은 두 곳 모두 치과전문의 수의 규모는 다르나 일반치과의사가 아닌 개설된 전문과목에 따른 치과전문의가 진료하고 있다는 것이다. 차이점은 우선 의과대학병원 내 치과는 치과대학이 아닌 의과대학병원 소속이며 치과대학 대신 의과대학 내 치과임상대학원이라는 교육체계가 있다. 치과대학병원이 11개 전문임상과목이 있는 반면 의과대학병원 내 치과는 5-7개의 주요 전문임상과목 위주로 구성되어 있다. 치과공간의 배치는 치과대학병원이 의과대학병원과 별도의 독립 건물인데 비하여 의과대학병원 내 치과는 외래진료부와 같이 있는 경우와 독립된 경우까지 크게 두 가지 유형으로 나타났다. 의과대학병원 내 치과임상공간의 내부 공간구성은 임상과목에 따라 완전히 분리, 구획되어 과목별로 독립된 형태의 임상공간이 형성되는 치과대학/치의학대학원 부속 치과병원과는 다르게 전문과목별로 임상과목과 의료진은 구분되나 임상공간은 전문과목별로 명확히 구분되지 않는다. 치과대학병원과 의과대학병원내 치과 공간구성의 특성을 비교하여 정리하면 다음과 같다.

치과대학병원과 의과대학병원 내 치과의 특성 비교

요소	치과대학병원	의과대학병원 내 치과
치과전문의 수	31-66	5-14
교육 체계	치과대학/치의학대학원	의과대학/치의학임상대학원
임상과목 수	10-11	5-7
공간 배치	독립 공간	독립/공유 공간
진료과목 공간구성	과목별 독립	부분적 공간 공유

11. 한국 치과 전문의제도 시행에 따른 치과 의료체계의 전문성과 공간구성의 변화

한국 내 치과 진료공간은 치과대학/치의학대학원의 부속 치과대학병원, 의과대학병원 내 치과, 치과병원, 치과의원, 공공치의 공간 등 다양하게 세분화되고 전문화되어 왔다. 치과 전문의제도는 1951년 국민의료법에 의하여 법적 기반을 확보하였으나 기존 치과의사들의 반대로 2008년에나 실질적으로 시행되었고 2018년 기존 수련의들의 치과 전문의 요건 인정에 이르는 등 커다란 변화를 겪어왔다. 최근 이러한 변화와 더불어 치과 전문의제도의 활성화로 치과공간의 커다란 변화와 발전을 예측하고 있다. 치과 전문의제도 시행으로 인하여 나타난 치과 전문성의 변화에 따른 임상체계의 변화와 치과대학/대학원 부속 치과병원, 의과대학병원 내 치과, 전문치과병원, 치과의원 등 다양한 건축 계획적 공간구성 특성들을 분석한다.

한국 치과 전문의제도의 변화과정

한국의 치과 전문의제도는 1951년 국민의료법에 의하여 법적 기반을 확보하였는데, 이 제도의 목적은 국민이 수준 높은 치과 분야의 의료 혜택을 1차 의료기관인 치과의원에서 간편하게 받을 수 있도록 하는 데 있었으나 시행과정에서 기존 치과의사들의 반대로 인하여 60여 년 동안 제대로 시행하지 못하였다. 2008년 치과 전문의제도가 시행되어 10개 전문과목 즉 구강내과, 영상치의

학과, 치과보존과, 치주과, 치과보철과, 치과교정과, 소아치과, 예방치과, 구강악안면외과, 구강병리과에서 220명의 전문의가 처음 배출되었다. 그러나 치과 전문의제도 시행 이후 전문과목을 표시한 치과의원은 0.1%도 되지 않아 제도 자체가 유명무실한 상태였다.41) 또한, 2017년 기존 수련의의 전문의 시험 자격 제한이 위헌 결정으로 전문의 시험이 가능해졌고 2018년 1월 기수련자 전문의 시험으로 2,533명이 배출되어 단기간에 치과 전문의가 급격히 증가하게 되었다.

한국 치과 전문의제도 시행

연도	내용
1951	치과 전문의 법적 실행
2008	치과 전문의 실행
2018	기 수련의 치과 전문의 시험 유효화

한국 치과 전문의제도의 특징

치과 전문의제도는 수련병원으로 인증된 치과병원에서 1년 인턴과 3-4년 레지던트 수련 후 전문의 시험에 합격한 경우에 자격이 주어진다. 그러므로 이는 치과대학병원을 중심으로 일부 의과대학병원 치과 등 전문의 임상 수련과 관련된다. 전문의 수련과목은 치과병원의 임상과목과 대부분 일치하여 10-11개 과목이다.

치과 전문의는 치과대학병원, 의과대학병원 내 치과센터, 치과병의원 등 다양한 치의공간에서 진료할 수 있으나 진료과목의 전문성으로 인하여 치과대학병원과 의과대학병원 내 치과센터는 치과 전문의가 진료하며, 개인치과의원에서 전문의가 진료하는 경우는 전문과목을 표방하는 전문치과의원이다. 치과의사가 치과 전문의제도의 전문과목은 기존의 구강마취과를 제외한 10개 전문과목과 신설된 통합치의학과, AGD(Advanced General Dentistry)를 포함하여 11개 과목이다. 치과 전문의제도의 특징 중 하나는 통합치의학과, AGD(Advanced General Dentistry)이다. 다른 전문과목이 기존에 수련과목과 연관되었지만, 이 과정은 치과 진료의 특성상 하나의 전문과목이 아닌 전반적인 진료가 필요한 경우로 의과에서 가정의학과와 유사하다고 할 수 있다. 그러나 통합치의학은 현재 전문수련병원이 지정되지 않은 상태로 정착되지 못한 과도기적인 상황이다.

한국 치과 전문의제도에 따른 치과공간의 변화 특성

한국 내 치과분야 전문성은 1951년 치과 전문의제도 확보 이후 1970-80년대 10-11개 전문과목이 형성되는데, 치과대학병원은 각 전문과목의 교육 필요성으로 인하여 전문과목 별 임상공간이 비교적 빠른 시간에 세분화하고 독립되어 현재는 다른 치과공간에 비하여 가장 전문화되고 분화된 공간구성이 나타났다. 치과대학병원의 공간구성은 하나의 층에 하나의 전문과목 또는 진료의 성격이 연관된 2-3개 진료과목을 중심으로 구성되고 각 층이 수직적으로 적층되어 치과공간을 형성한 것이 특징이다. 이후 2008년 치과 전문의제도의 본격 시행에도 공간구성에 큰 변화가 나타나지 않는다.

의과대학병원 내 치과의 경우, 의료법으로 인하여 의과대학병원이 치과를 외래과목의 하나로 포함한 초기에는 진료과목의 분화 없이 치과의원과 유사한 진료가 시행되다가 이후 5-7개 치과 전문과목들을 중심으로 구성되었다. 2008년 치과 전문의제도가 공식적으로 시행된 이후 의과대학병원 내 치과는 치과센터나 치과병원으로 변화하였고 각 전문과목 치과 전문의를 중심으로 하여 치과대학병원과 유사하게 변화하였다. 그러나 진료와 임상교육을 담당하며 각 전문과목별로 독립된 치과대학병원과 다르게 각 전문과목은 구분하면서도 부분적으로 독립하거나 일부 공간은 공용공간으로 연결하는 등 명확한 독립공간이 형성되지는 않았다. 의과대학병원 내 치과 공간구성의 변화는 의과대학병원 외래진료부 공간 내에서 수평적으로 확장 분화되고, 더 확장되는 경우에는 치과병원으로 분리, 독립된 공간에서 수직적으로 확장된다. 또한, 의과대학병원 내 치과는 유사한 전문화와 분화가 나타나는 치과대학병원과는 다르게 전문치과의원 정도의 소규모 공간, 외래진료부 내에서 수평적으로 확장된 치과병원, 의과대학병원에서 독립하여 별도의 수직 분화된 경우처럼 다양한 규모와 형태가 나타났다. 그 결과 의과대학병원 내 치과 공간구성은 치과대학병원의 전문과목별 분화 상태와 치과의원의 미분화 상태의 중간상태 공간구성이 나타났다.

도시 내 치과 임상공간에서 가장 많은 부분을 차지하는 개인 치과의원은 2008년 공식적인 치과 전문의제도 시행 이전에는 전문과목을 표방할 수 없어서 치과교정과나 소아청소년치과와 같이 전문 치과진료를 시행하는 치과의원도 일반 치과의원과 구별할 수 없었다. 전문치과의원을 분석한 결과, 치과 전문과목을 구분할 수 있게 되어 11개 전문진료과목을 표방할 수 있는데 치과교정과와 소아청소년치과를 중심으로 일부 전문치과의원만이 표방하였다. 이는 2018년 기수련자 전문의 시험으로 치과 전문의가 급격하게 증가한 이후 치과교정과나 소아청소년치과처럼 다른 과목보다 전문성이 강한 과목의 경우 전문과목을 표시하나, 치과보철과, 치과보존과, 치주과, 그리고 구강악안면외과와 같이 진료과목이 서로 연관되는 경우에는 전문진료과목 하나만을 표방하는 것이 적절하지 않다고 판단하고 기존의 치과의원을 유지하고 있기 때문이라 사료된다.

또한, 공간구성의 분석에서는 치과의원에서 전문치과의원으로 변화한 모든 사례에서 전문치과의원 내부 공간구성의 변화는 없는 상태이다. 기존의 치과의원이 전문치과의원으로의 전환도 일부 전문과목에 국한되었고 전문치과의원으로 변화하는 경우에도 치과 내부공간의 변화가 동반되지는 않았다. 이는 치과 전문의제도 시행 초기로 기존의 진료공간을 새로 변화하기보다는 전문치과의원을 표시하여 전문화를 강조하는 단계임을 알 수 있다. 추후 전문치과의원이 증가하여 내부경쟁 등으로 공간변화가 요구될 때 기존의 치과공간이 전문과목 진료에 더욱 적절한 공간으로 변화할 것으로 사료된다. 각 유형에 따른 전문성의 분화와 공간구성의 특징은 다음과 같다.

치과 전문의제도에 따른 전문성과 공간구성의 상관관계

유형	중요 사건/전문성	공간 구성	다이어그램
치과대학병원	1951년 치과 전문의제도 법적 시행 전문성 분화(11개 분야)	각 전문분야별 독립공간 수직적 공간 분화	
의과대학병원 치과센터	2008년 치과 전문의 실행 전문성 일부 분화(5-7개 분야)	부분적 독립/ 공유공간 수평적 공간 분화/수직적 공간 분화	
치과의원	2018년 치과 전문의 전문과목 표방 전문성 분화 낮음(1-2개 분야)	공유공간 치과의원 전문과목별 공간 공간 미분화	

12. 한국 내 치과분야의 공공성과 공공 치과공간

의료의 공공성은 공식적인 것으로서의 의미와 공적인 것으로서의 의미인 공공성에서 사회 일반이나 공중의 목적 즉 공익을 위한 보건의료분야 서비스를 의미한다. 의료분야 중에서 만성 질환으로 사회에 커다란 영향력을 미치고 있는 대표적인 질병이 치아우식증과 치주병 같은 치과질환이며 이 질환들은 사회적 접촉과 같은 외부 환경요인들의 산물이며 이를 방지하기 위한 중요한 측면은 예방과 개인위생이다.42)

치과공간은 개인위생 기본행위인 칫솔질의 일상생활 공간인 가정에서부터 치과 질환의 치료공간인 치과병의원과 효과적인 예방 교육의 장소인 학교, 보건소 등 다양한 지역사회의 공간들이 있어야 한다. 한국의 공중보건분야는 치아 우식증과 치주질환에 관한 예방과 구강검진이 주였으며 서양치의학 도입초기에는 정부차원보다는 전문가인 치과의사 개개인에 의하여 진행되었다. 이후 공공의료사업, 보건정책연구개발, 예방치과학을 통한 구강사업에 관한 정책연구와 치과의원의 구강검진 등 치과 임상 시스템을 이용한 보건정책의 일부가 정부 주도로 진행되었는데 이는 주로 국민의료보험과 초등, 중등, 고등학교 교육체계를 이용하였기 때문에 치과병원 내 보건에 관한 독립 공간은 마련되지 않았다. 현재까지 진행된 공공 치과의료 중 집중 사업인 보건복지부의 장애인 구강진료센터는 2010년대 이후 전국적으로 설립되어 2017년 현재 아홉 곳이 운영 또는 설립단계에 이르고 있다.

　　한국의 구강보건정책은 예방보다는 치료를 중심으로 진행되어 왔으나 1997년 보건복지부에 구강보건과 설치와 2000년 구강보건법이 제정되면서 영유아, 노인 및 장애인 등 취약계층에 대한 구강보건사업, 수돗물불소농도조정사업, 학교불소용액양치사업 등 다양한 공공구강사업을 추진하고 있다[43]. 2015년 보건복지부 구강보건사업예산을 살펴보면 크게 장애인 구강진료센터와 구강건강관리 및 국민건강증진사업 두 부문으로 구분하여 집행되고 있음을 알 수 있으며 최근에는 구강보건사업 중 권역별 장애인 구강진료센터들이 설립되면서 장애인 공공 치과의료가 활성화되고 있다

　　한국 장애인 공공 치과공간 분포
　　한국의 공공 치의공간인 장애인 치과병원과 장애인 구강진료센터는 현재 총 열 곳으로 서울시 장애인 치과병원과 전국 아홉 곳의 장애인 진료센터가 설립되어 있다. 서울의 경우 치과병원인 서울대학교치과병원, 연세대학교치과병원, 경희대학교치과병원에 장애인 진료공간이 운영되고 있으며 서울시에서 별도의 장애인 치과병원을 설립하였다. 서울장애인 치과병원은 대학치과병원과는 다르게 장애인 전용의 독립된 치과병원으로 2001년 9월 서울시립장애인 치과병원을 설립하였고 현재 서울대학교 치과병원에서 위탁경영을 하고 있다. 장애인 구강진료센터는 보건복지부 구강생활건강과 추진사업으로 구강보건법 제 15조의 2에 근거[44]하여 2006년

장애인 치과진료종합대책을 통하여 매년 공모를 시행하고 사업수행기관을 선정하였다. 권역별로 설립되어서 경기센터에 단국대학교 죽전치과병원, 인천센터에 가천대학교길병원, 강원센터에 강릉원주대학교치과병원, 충남센터에 단국대학교치과병원, 전북센터에 전북대학교치과병원, 광주센터에 전남대학교치과병원, 대구센터에 경북대학교치과병원, 부산센터에 부산대학교병원, 제주센터에 제주대학교병원 등이다.

장애인 치과병원/장애인 구강진료센터 분포

한국 장애인 공공 치과공간 특성

일반적으로 치과대학/치의학대학원과 치과병원은 교육과 임상실습이라는 공통점으로 공간적으로 가깝게 유지되는 경우가 일반적이며 치과병원과 공공치과의 경우 치과진료라는 공통점으로 하나의 공간을 사용하거나 독립되더라도 가깝게 위치하게 된다. 각센터마다 서로 다른 배치 및 공간구성을 가지는데 각각 독립된 치과대학/치의학대학원, 치과병원, 공공치과들이 하나의 클러스터를 이루며 치의학센터를 형성하는 경우는 전북대학교, 경북대학교 치과대학과 병원이 해당한다. 전남대학교 치과대학/치의학대학원과 치과병원은 하나의 공간에 있으면서 공공치의 공간인 장애인 구강진료센터는 독립된 별도의 공간을 이루는 경우이다. 충남센터, 경기센터, 강원센터, 인천센터, 제주센터는 치과병원이나 의과병원내 공공치과가 하나의 공간을 공유한다.

장애인 구강진료센터 유형

장애인 구강진료센터는 치과대학병원과의 관계에 따라서 신축 독립된 건물의 경우와 기존 치과병원 내부를 리모델링하여 사용하는 경우로 나눌 수 있다. 장애인 구강진료센터 신축 사례의 경우는 광주센터, 부산센터, 대구센터, 전북센터 등이다. 신축의 경우는 공간과 인적, 물적 자원을 공유하는 리모델링의 경우와 다르게 장애인 구강진료센터가 치과병원과 독립된 별도의 건물과 공간을 구성하며 치과병원, 주변 공간들과 관계가 만들어지게 된다. 이 경우 센터마다 상황과 조건에 따라 배치되어 각각 서로 다른 공간

관계가 이루어진다.

장애인 치과진료센터의 리모델링의 경우는 충남센터, 경기센터, 강원센터, 인천센터, 제주센터 등이다. 충남센터는 단국대학교 치과병원 내 공간을, 경기센터는 단국대학교 죽전치과병원 내부공간을 리모델링하여 설립하였고, 인천센터는 가천대학교 길병원, 제주센터는 제주대학교 병원 내부에 설립하였다. 인천 길병원과 제주대학교 병원은 치과대학과 치과병원이 없으나 치과대학과 치과대학병원이 없는 지역적 특성으로 인하여 의과병원 내 치과진료센터와 연계하여 장애인 구강진료센터를 운영하게 되었다. 리모델링의 경우 기존의 치과병원이나 의과병원의 치과와 공간적으로 긴밀하게 연결되어 장애인 환자의 진료나 응급상황에 적극적으로 대처 가능하나 장애인 구강진료센터가 독립된 공공의료공간이 아닌 병원의 특수 크리닉으로 인식될 수 있다.

장애인 구강진료센터 강원센터는 기존의 강릉원주대학교 치과병원 1층에 있던 행정실 공간을 장애인 구강진료시설과 장애인용 로비로 계획하였고 4층에 장애인용 특수진료시설을 설치하였다. 1층의 행정실은 2층과 4층으로 이전하였다. 이와 더불어 기존의 1층 로비와 휴게시설과 2층 행정실 주변 소아치과에 관련된 공간들을 보강하였다. 장애인 구강진료센터의 내부공간을 살펴보면 진료실 2개소와 특수진료실 1개소, 방사선실, 수면/회복실, 기공실, 소독실, 대기실, 접수, 의사실 등으로 구성되어 있다. 각 실 및 복도

는 장애인을 기준으로 계획되었고 진료실들은 일반 진료실들과는
다르게 개방되어 있지 않은 구분형 진료실로 계획하여서 진료에
방해가 되지 않게 하였다.

장애인 구강진료센터 강원센터 평면

	평면(1F)
치과병원 리모델링 전	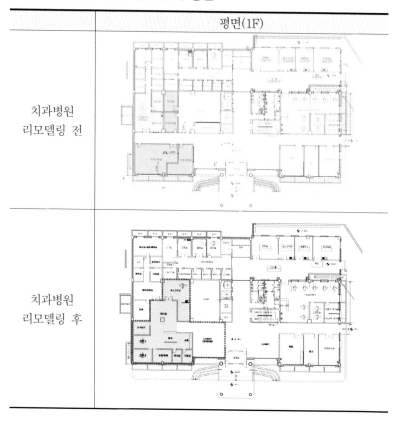
치과병원 리모델링 후	

제3장   의료공간 공간분석

13. 한국 내 치과대학/치의학대학원과 치과병원의 배치와 공간 특성 I

한국 내 치의학교육의 중심공간인 열한 곳의 치과대학/치의학대학원과 그 교육병원인 치과병원의 배경과 현황, 그리고 치과 공간의 전국 분포, 도시 내 위치, 대학교 캠퍼스와의 관계 등을 살펴본다. 치과 공간의 공간구조와 위상을 살펴보기 위하여 대상 캠퍼스의 동선체계를 공간구문론(Space Syntax)을 이용하여 정량화하고 이를 바탕으로 배치 특성을 분석하고자 한다.45)

한국 치과대학/치의학대학원과 치과병원 분포

치과대학/치의학대학원과 치과병원의 도시 내 위치는 설립된 시기의 도시의 형성과정과 연관되어 있다. 치과대학/치의학대학원은 1922년 한국최초의 치과교육기관인 경성치과의학교가 설립된 후 1946년 서울대학교로 합병되었고 1966년 경희대학교, 1967년 연세대학교 치과대학이 설립되었다. 1970년대에 전국에 치과대학이 설립되는데 1973년 경북대학교, 조선대학교, 1978년 전북대학교, 전남대학교, 1979년에 원광대학교, 부산대학교, 단국대학교 그리고 1992년에 강릉원주대학교 치과대학이 설립되었다. 치과대학과 치과병원은 대학교 캠퍼스 내에 설립되었으므로 그 위치는 모캠퍼스의 도시 내 위치로 결정되었다. 그 결과 1970년대 치과대학과 치과병원은 도시의 중심부에 위치하나, 단국대학교 천안캠퍼스와 1990년대 설립된 강릉원주대학교는 교외나 도시 경계부에 위치하고 부산대학교는 설립 당시인 1970년대에는 도심에 위치하였으나 2000년대 양산신도시에 별도의 의학캠퍼스를 설립하였다.

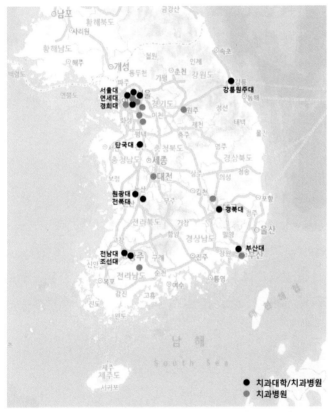

한국 내 치과대학/치의학대학원과 치과병원 분포 지도

캠퍼스와 치과대학/치의학대학원과 치과병원

인체에 관한 기초적인 이론지식과 치과진료의 임상지식이 결합되어야 하는 치의학 지식의 중심공간이며, 한 사회의 치의학을 평가하는 기준인 기본적인 연구와 진료능력을 갖춘 치과의사의 양성에 있어서 가장 중요한 역할을 하는 공간이 치과대학/치의학대학원과 치과병원이다. 이러한 치과 공간들은 교육체계로 인하여 대학캠퍼스와 연결되어 위치하나 캠퍼스 내 교육공간이 주공간인 분야들과는 다르게 교육체계와 병원체계 두 영역의 영향을 받으며 서로에게 불가분의 관계가 된다.46)

대학캠퍼스의 시설분류에서 대학 내 의학계열의 부속시설인 부속병원47)은 내부인들뿐만 아니라 외부 방문자의 지속적인 사용이 이루어진다. 그러므로 교육시설이면서 공공시설의 역할을 하는 치과대학/치의학대학원과 치과병원의 입지와 배치는 사용자들에게 큰 영향을 줄 수밖에 없다. 치과공간이 독립공간이 아닌 모캠퍼스 내에 위치하거나 별도의 의학캠퍼스를 형성하는 경우는 더욱 복잡한 공간의 배치 관계가 이루어진다.

이러한 공간들은 도시와 사회의 변화에 따른 영향을 받으며 발전하고 내부에서는 환경-행동 이슈들인 공간의 사회적 논리, 개인의 조절과 스트레스, 규범적 기대 등이 서로 연결되어 나타난다.48) 그중 공간의 사회적 논리에서 힐리어(Hillier)와 핸슨(Hanson)은 사용자 부류를 설정하고 공간을 분석하였는데 병원은 다른 공간과는 다르게 방문자인 환자와 이방인이 거주자의 역할을 하게 되어 방문자와 거주자의 관계가 역전되는 공간으로 설명하였다.49)

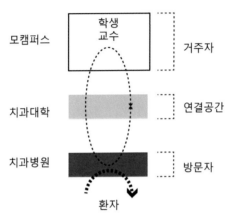

모캠퍼스와 치과대학/치의학대학원과 치과병원의 관계도

모캠퍼스와 치과공간의 관계

치과공간의 배치는 독립된 치의학캠퍼스, 의과대학과 부속병원을 포함하는 별도의 의학캠퍼스, 또는 모캠퍼스내 치의학센터 등 학교와 병원에 따라 다양하다. 경북대학교 치과대학과 치과병원은 모캠퍼스, 의학캠퍼스와 별도의 독립된 치의학캠퍼스를 설립하였다. 부산대학교의 치의공간은 모캠퍼스와 분리된 의학캠퍼스 내에 있다. 서울대학교는 독립된 의학캠퍼스인 연건캠퍼스가 주공간이나 모캠퍼스인 관악캠퍼스에 분원을 설립하여 양쪽 캠퍼스에 치과공간이 있는데 이는 학석사 통합과정의 교육체계 변화에 따라 기초치의학과정은 관악캠퍼스 내 치의학대학원에서, 임상치의학과정은 연건캠퍼스에서 치과병원과 연계하게 되어 다양한 교육공간의 확보와 동시에 치과의료 취약지인 관악구 지역의 치과 진료 향상을 위한 결과이다.

주요 치과공간이 모캠퍼스 내에 위치하는 곳은 여덟 곳으로 치과공간은 절대적으로 도시 내 모캠퍼스의 위치에 의해 결정된다. 전남대학교는 의과대학과 의과병원은 별도의 의학캠퍼스를 구성하고 치의공간은 모캠퍼스 내부에 있으며, 강릉원주대학교는 의과대학과 의과병원 없이 치의학센터만 모캠퍼스 내에 위치한다. 조선대학교, 단국대학교는 모캠퍼스 내에 의학센터와 치의학센터가 있으나 공간적으로 분리되어 위치한다. 경희대학교, 연세대학교, 전북대학교, 원광대학교는 모캠퍼스 내에 의과대학, 한의과대학, 간호대학, 의과병원, 한방병원들과 클러스터를 구성하는 의학센터가 위치한다.

모캠퍼스와 치과공간의 관계 분류

독립된 치의학 캠퍼스	Main Campus Medical Campus Dental Campus	경북대학교 (1)
독립된 의학 캠퍼스		부산대학교 (1)
		서울대학교 (연건, 관악) (1)
모캠퍼스 내 치의학 센터		전남대학교 (1)
		강릉원주대학교 (1)
		조선대학교 단국대학교 (2)
모캠퍼스 내 의학 센터		경희대학교 연세대학교 전북대학교 원광대학교 (4)

14. 한국 내 치과대학/치의학대학원과 치과병원의 배치와 공간 특성 Ⅱ

한국의 대학교캠퍼스 내 의학센터로 치과대학/치의학대학원과 치과병원이 위치하는 여덟 곳의 현황을 살펴보고 모캠퍼스와의 관계 등을 살펴본다. 치과대학/치의학대학원과 치과병원의 공간구조와 위상을 살펴보기 위하여 대상 캠퍼스의 동선체계를 공간구문론(Space Syntax)을 이용하고 이를 바탕으로 캠퍼스 내 치과대학/치의학대학원과 치과병원의 배치 특성을 분석한다.

한국 치과대학/치의학대학원과 치과병원 배치 유형
치과공간이 모캠퍼스 내에 위치하는 곳은 절대적으로 도시 내 모캠퍼스의 위치에 의해 결정된다. 그중 의과대학과 의과병원, 치과대학과 치과병원이 모여 의학센터를 형성하는 곳과 의학센터와 분리되어 치의학센터가 설립된 사례로 나눌 수 있다.

강릉원주대학교는 의과대학과 의과병원 없이 치의학센터만 모캠퍼스 내에 위치하며, 전남대학교는 의과대학과 의과병원은 별도의 의학캠퍼스를 구성하고 치과 공간은 모캠퍼스 내부에 치의학센터가 있다. 단국대학교, 조선대학교는 모캠퍼스 내에 의학센터와 치의학센터가 있으나 공간적으로 분리되어 위치한다.

대학교별 모캠퍼스 내 치과공간의 배치

강릉원주대학교	전남대학교	단국대학교
조선대학교	경희대학교	연세대학교
원광대학교	전북대학교	

경희대학교, 연세대학교, 원광대학교, 전북대학교는 모캠퍼스 내에 의과대학, 한의과대학, 간호대학, 의과병원, 한방병원들과 클러스터를 구성하는 의학센터가 위치한다. 주도로와 출입구가 있는 도로체계의 모캠퍼스 내 치과 공간을 포함하는 의학센터는 모캠퍼스의 다른 교육영역과 구분되어 위치한다. 의과대학, 치과대학, 간호대학 등 의학 관련 교육공간은 모캠퍼스와 의학센터의 중간공간에 배치되어 내부 거주자들의 공간 사용을 용이하게 한다. 의학센터는 의과병원, 치과병원, 한방병원 등을 중심으로 배치하고 외부 방문자를 위한 별도의 출입구와 도로체계를 갖는다.

모캠퍼스 내 치과대학/치의학대학원과 치과병원 공간분석

공간구문론의 분석요소 중 통합도는 특정 공간이 전체 공간 체계에서 접근될 수 있는 공간의 접근도이며 통합도 값이 높을수록 공간구조상 중요도가 높으며 접근할 수 있는 경우의 수가 많은 공간이다. ERAM(Eigenvector Ratio Adjacent Matrix)이론은 공간 연결 관계에 따른 이동분포를 확률적인 측면에서 다루는 분석방법으로 공간의 이동분포와 보행량을 예측하는데 이용한다.

치과공간이 모캠퍼스 내에 위치하는 대표적 사례인 전북대학교의 공간분석 결과 모캠퍼스와 치과대학/치의학대학원, 치과병원은 배치의 형태나 연결 정도는 다르나 캠퍼스 내 치과 공간을 가지는 경희대학교, 연세대학교, 원광대학교와 유사한 공간 관계를 구성하고 있다. 공간구문론 분석에서 모캠퍼스 내 통합도가 제일 높은 곳은 캠퍼스 중앙에 위치하는 주도로이며 캠퍼스의 공간구조와 무관하게 치과대학/치의학대학원과 치과병원의 통합도와 연결도는 상대적으로 낮다. 분석 결과 지도에서 나타난 진한 붉은 색이 캠퍼스의 중앙도로가 중심공간임을 나타내며 중앙도로와 연결되어 의학센터까지 연결된 도로가 그다음이다. 이는 치과병원이 외부와의 관계로 인하여 모캠퍼스 내 중심공간이 아닌 주변공간에 배치되었음을 보여준다. 즉 모캠퍼스 치과병원 및 부속병원들은 캠퍼스 공간을 공유하지만, 내부 사용자들보다는 외부 방문자를 위한 공간으로 계획된다는 것을 의미한다.

또한, 전북대 캠퍼스는 모캠퍼스와 의학캠퍼스가 연결되어 있지만, 경계 부분에 지하차도를 이용하여 물리적으로 자동차의 접근을 통제한다. 이러한 관계는 캠퍼스 내 도로체계에서 명확하게 보이는데 치과병원의 배치가 외부 방문자의 접근 용이성과 모캠퍼스로의 동선을 제한하는 의도는 치과대학/치의학대학원과 치과병원 등 의학센터의 진입로를 모캠퍼스 주진입로와 분리하여 별도로 형성하고 방문객의 동선을 조절하는 공간구조로 나타난다.

전북대학교 캠퍼스와 치과대학/치과병원의 공간구문론 분석 결과
_통합도에 따른 중심공간의 구성

모캠퍼스와 치과공간의 관계

공간구조 분석 결과 캠퍼스 전체의 중심공간은 캠퍼스의 주
출입구와 연결된 중앙도로이며 캠퍼스 내 치과병원의 통합도는 치
과대학/치의학대학원에 비하여 높아서 치과병원이 부분적으로 통
행이 높은 곳에 배치됨을 알 수 있다. 이는 캠퍼스가 학생, 교수,
교직원 등의 이용을 중심으로 구성되지만, 의료시설은 외부인을 위
한 별개의 출입과 함께 의과대학, 치과대학과의 연계도 고려한 결
과이다. 이 유형의 대표사례인 전북대학교의 경우 의학센터가 모캠
퍼스에 있으나 공간적으로 분리되어 별도의 출입구와 도로가 있고,
모캠퍼스와 치과대학이 연결되며 치과병원은 의과병원과 함께 방
문자 중심의 공간을 구성하여 모캠퍼스의 거주자 교육공간과 병원
의 외부공간이 적절하게 배치되어 있다. 분석을 바탕으로 전북대학

교의 모캠퍼스, 의학센터, 치과공간의 관계도를 작성하면 다음과 같다.

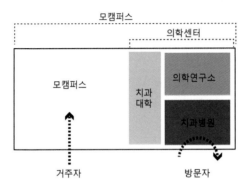

모캠퍼스와 치과공간의 관계 다이어그램

15. 한국 내 치과대학/치의학대학원과 치과병원의 배치와 공간 특성 III

한국 내 대학교캠퍼스와 별도의 의학캠퍼스를 구성하는 치과대학/치의학대학원과 치과병원인 서울대학교와 부산대학교 그리고 별도의 치의학 캠퍼스인 경북대학교의 현황과 공간구성을 살펴본다.[50] 치과대학/치의학대학원과 치과병원의 공간구조와 위상을 살펴보기 위하여 대상 캠퍼스의 동선체계를 공간구문론(Space Syntax)을 이용하여 분석하고 이를 바탕으로 치과 공간의 배치 특성을 살펴본다.

캠퍼스 내 교육공간과 병원공간의 관계
모캠퍼스와 별도의 공간을 구성하는 의학캠퍼스는 캠퍼스 부속시설로 의과병원, 한방병원과 치과병원 그리고 의과대학, 간호대학, 한의과대학, 치과대학 등과 다수의 의학연구소들로 구성된다. 서울대학교는 독립된 의학캠퍼스인 연건캠퍼스가 주공간이나 2015년 관악캠퍼스에 관악서울대치과병원과 첨단교육연구복합단지를 설립하여 양쪽에 치과 공간이 있는데 이는 기초치의학과정은 관악캠퍼스 내에서, 임상치의학과정은 연건캠퍼스치과병원과 연계하여 다양한 교육공간의 확보와 동시에 관악구 지역의 치과 진료 향상을 위한 의도의 결과이다. 부산대학교의 치과 공간은 부산 시내 부산대학교 병원 내 치과에서 시작하여 2009년에 모캠퍼스와 분리된 양산 의학캠퍼스 내에 있다.

의학캠퍼스 내 치과대학/치의학대학원과 치과병원 공간분석

서울대학교 의학캠퍼스의 경우 규모가 큰 의과병원인 본원을 중심으로 어린이병원, 암병원, 치과병원 등이 주변에 배치하게 되고 치의학대학원, 의과대학 등 교육공간은 병원들 후방에 배치하게 된다. 서울대학교는 병원들이 중앙에 배치되어 있어 치과병원의 통합도와 연결도가 치의학대학원보다 높게 나타났다. 의학캠퍼스는 루프(Loop) 형태의 동선구조 중심에 병원들이 배치되고 주변에 교육 및 연구공간이 배치되었다.

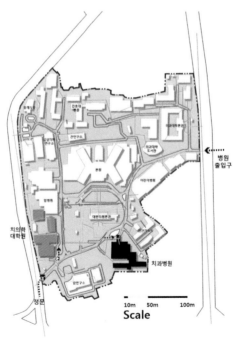

서울대학교 의학캠퍼스의 통합도

부산대학교 양산캠퍼스는 대학교육공간과 임상진료공간인 병원의 공간을 명확히 분리하여서 캠퍼스 내 학교 및 병원 내부 거주자인 교수, 학생, 직원들과 외부인인 내원 환자들의 동선을 구분하였다. 부산대학교는 뉴타운의 격자(Grid) 구조를 기준으로 병원과 교육공간을 명확히 분리하고 출입구도 별도로 위치하고 있다. 부산대학교는 방문자가 많은 병원영역을 중심으로 배치되어 치과병원의 통합도가 치의학대학원보다 높으나 병원영역과 대학영역이 명확하게 분리된 격자 공간으로 인하여 연결도는 차이가 없다.

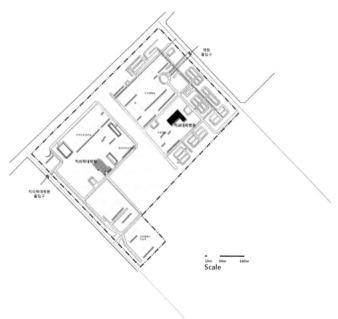

양산부산대학교 의학캠퍼스의 통합도

경북대학교 치과대학/치의학대학원과 치과병원 공간 특성

치의공간의 배치는 독립된 치의학캠퍼스, 의과대학과 부속병원을 포함하는 별도의 의학캠퍼스, 또는 모캠퍼스내 치의학센터 등 학교와 병원에 따라 다양하다. 경북대학교 치과대학과 치과병원은 모캠퍼스, 의학캠퍼스와 별도의 독립된 치의학캠퍼스를 설립하였다. 경북대학교 치의학캠퍼스는 대구 도심에 위치하며 치과병원은 주도로에서 직접 진입이 가능하고 치과대학은 후면도로를 이용하게 계획하여서 치과병원의 통합도와 연결도가 치과대학보다 높은 것으로 나타났다.

경북대학교 치과공간의 공간구문론 분석 결과

배치도	통합도	ERAM(3)

한국 내 열한 곳 치과대학/치의학대학원과 치과병원의 주변 도로를 포함하는 모캠퍼스의 공간구조를 통합도, 연결도, ERAM(3)로 살펴보고 배치 특성을 분석하였다. 전체 사례에서 모캠퍼스의 통합도는 편차가 크나 연결도의 편차가 작은 결과에서 캠퍼스 마스터플랜에 따른 캠퍼스 전체 공간은 다양한 공간구조에도 불구하고 각 공간으로의 연결은 일정하게 유지됨을 알 수 있다. 치과대학/치의학대학원의 통합도의 평균값은 0.584이고 연결도는 2.273이며 치과병원의 통합도는 0.664이고 연결도는 3.455로 치과병원의 통합도와 연결도는 모캠퍼스의 평균보다 높고 치과대학/치의학대학원의 경우는 모캠퍼스의 평균보다 낮다. 치과병원이 치과대학/치의학대학원보다 통합도와 연결도가 높은데 이는 외부 방문자를 위한 치과병원의 인지와 길찾기의 용이성을 위한 배치의 결과라 할 수 있다.

한국 내 모캠퍼스, 치과대학/치의학대학원, 치과병원 공간구문론 분석 결과

대학교	통합도 (평균, 캠퍼스)	연결도 (평균, 캠퍼스)	통합도 (치과대학)	연결도 (치과대학)	ERA M(3) (치과대학)	통합도 (치과병원)	연결도 (치과병원)	ERA M(3) (치과병원)
경북대	0.980	2.911	0.825	1	0.419	1.025	2	0.646
부산대	0.811	2.793	0.527	2	0.449	0.651	2	0.385
서울대 (연건)	0.718	2.527	0.659	1	0.363	0.714	2	0.466
전남대	0.593	2.484	0.691	3	1.140	0.777	4	1.395
강릉원 주대	0.557	2.476	0.491	4	1.352	0.494	5	1.784
조선대	0.465	2.372	0.419	3	1.261	0.426	4	1.633
단국대	0.518	2.455	0.593	1	0.749	0.594	2	1.005
경희대	0.469	2.333	0.381	2	0.512	0.514	3	0.465
연세대	0.473	2.295	0.483	1	0.393	0.587	6	3.077
전북대	0.792	2.557	0.743	3	0.891	0.855	2	0.732
원광대	0.794	2.741	0.611	4	0.848	0.666	6	1.946
평균	0.652	2.540	0.584	2.273	0.762	0.664	3.455	1.230

16. 한국 치과의원의 공간구성 특성

한국의 치의학은 1900년 전후에 18-19세기 서유럽에서 근대 역사를 기반으로 형성된 서양 치의학이 도입된 것이 최초였다. 한국 치과공간의 중심공간이며 대표공간인 치과의원은 치과진료라는 기능에 따른 건축계획과 공간구성이 일반적이다. 최근 이러한 치과공간은 의료체계와 소비자주의 등에 의하여 변화가 나타나기 시작하였다. 치과의원 사례를 선정하여 그래프 이론(Graph Theory), 시각적 접근과 노출 이론(VAE: Visual Access and Exposure Theory), 공간구문론(Space Syntax) 등 공간분석방법론을 이용하여 분석한다.

치과의원의 공간분석

치과의원의 유형에서 공간을 구성하는 요소는 주출입구, 대기공간, 진료공간, 관리공간, 진료보조공간들이며 주출입구, 대기공간, 진료공간이 주요공간이 된다. 대기공간과 진료공간이 결합된 유형은 입구에서 대기실 그리고 진료실로 연결되며 보조공간들은 진료실에서 연결된다. 대기공간과 진료공간이 분리된 유형은 진료실 대기실에서 진료실을 연결하는 복도가 나타나며 복도를 중심으로 실들이 배치된다.

공간분석은 다양한 방법으로 가능하나, 가장 많이 사용하는 것은 그래프 이론, 시각적 접근과 노출 이론, 그리고 공간구문론이다. 그래프 이론에서 그래프는 꼭짓점들의 집합과 꼭짓점 사이의 관계를 나타내주는 변의 집합의 순서쌍으로 볼 수 있다. 따라서 관계 지어진 상황들은 그래프로 나타낼 수 있으며, 이렇게 그래프로 나타난 수학적 모형을 연구하여 여러 가지 현상을 규명하는 분야가 그래프 이론이다. 시각적 접근과 노출 이론은 특정 공간에 일정한 간격으로 격자 점(View point)을 찍어 임의 점에서 또 다른 임의의 점을 바라보았을 때 일정한 각도를 가지고 주변 시야에 들어오는 수를 세는 방식을 통해 분석하는 이론이다. 공간구문론은 정량적 공간분석 이론으로 공간구조의 위상에 따른 분포양상을 나타내는 공간구문론의 분석 결과는 도시 내 공간의 이용 유형과 연관되며 분석요소들은 연결도, 통합도, 명료도 등이다. 연결도는 특정 공간에 직접 연결된 주변 공간들의 개수를 나타내며, 통합도는 전체 공간체계에서 특정 공간에 접근할 수 있는 공간의 접근도로 중요도와 중심공간으로 접근할 수 있는 경우의 수가 많은 공간이다. ERAM(Eigenvector Ratio Adjacent Matrix)이론은 이동의 확률적 분포양상을 통한 공간의 이동분포와 보행량 예측에 이용된다.

이 론	그래프 이론 (Graph Theory)	시각적 접근과 노출 이론 (VAE: Visual Access and Exposure Theory)	공간구문론 (Space Syntax)
요 소	선점연결방식 순환방식	시각적 접근 시각적 노출 사분할도	연결도, 통합도, 통제도, ERAM(3)
특 성	사회적 관계의 망	주변 시야에 들어오는 수를 세는 방식	주변의 공간들 관계와 확률 예측

그래프 이론(Graph Theory) 분석

그래프 이론을 이용한 치과의원의 공간분석 결과는 공간의 구성에 따라 다르다. 사례로 선정된 치과의원은 주출입구가 대기실과 연결되고 대기실은 접수와 기계실과 진료실로 직접 연결된다. 이후 진료실은 다시 상담실과 원장실로, 소독실과 위생사실로 연결되면서 공간이 깊어진다. 사례와 같이 대기공간과 진료공간이 결합된 유형은 진료실이 개방형이나 반개반형에 무관하게 입구에서 대기실 그리고 진료실로 연결되며 보조공간들은 진료실에서 연결된다. 즉 대기실과 진료실이 주요공간이며 이를 중심으로 공간구성이 형성된다. 규모가 큰 치과의원의 경우 나타나는 대기공간과 진료공간이 분리된 유형은 진료실 개방형, 반개반형, 구분형과 무관하게 대기실에서 진료실을 연결하는 복도가 나타나며 복도를 중심으로 실들이 배치된다.

치과의원의 그래프 이론 분석 다이어그램

공간구성	그래프 이론 결과

시각적 접근과 노출이론(VAE) 분석은 시각적 접근(VA), 시각적 노출(VE), 사분할도(Quadrant)로 나누어 분석한다.

시각적 접근(VA)

치과 공간은 복도가 있는 분리형이나 복도가 없는 결합형과 무관하게 시각적 연결이 되는 공간의 구석에서 시각적 접근값(VA)이 크게 나타났다. 단일공간으로 제일 큰 공간의 구석에서 시각적 접근값(VA)이 높게 나타났다. 개방형은 진료실에서, 구분형은 대기실에서 시각적 접근값(VA)이 높게 나타났다. 사례 치과의원은 가장 큰 공간인 진료실의 양쪽 구석에 가장 높은 시각적 접근이 가능한 것으로 나타났다.

시각적 노출(VE)

대기실, 진료실 연결 부위를 중심으로 전체공간의 중심부위에서 시각적 노출값(VE)이 높게 나타났다. 분리형에서 복도가 길수록 연결공간보다 대기실이나 진료실 공간에 시각적 노출(VE)이 높은 것으로 나타났다. 단일공간 중 제일 큰 공간에서 다른 공간과 연결되는 부분에서 시각적 노출값(VE)이 높게 나타났다. 사례 치과의원에서는 가장 큰 공간인 진료실의 중앙공간이며 대기실과 연결된 부분이 가장 높은 시각적 노출 공간이다.

사분할도(Quadrant)

복도의 유무와 관계없이 대기실과 진료실이 연속되는 공간에 시각적 접근값(VA), 시각적 노출값(VE)이 높은 것으로 나타났다. 대기실, 진료실 연결 부위인 복도를 중심으로 시각적 접근값(VA), 노출값(VE)이 모두 높게 나타났다. 대기실의 일부와 구분형 진료실 일부공간은 시각적 접근값(VA), 시각적 노출값(VE)이 모두 낮게 나타났다.

치과의원의 시각적 접근과 노출이론(VAE) 분석 결과

Plan		Hi VA, Lo VE Lo VA, Hi VE Hi VA, Hi VE Lo VA, Lo VE
VA		
VE		
Quadrant		

공간구문론(Space Syntax) 분석

　사례와 같이 대기공간과 진료공간은 직접 연결되는 경우에 직선으로 연결되며 이 경우 연결도가 높고 통합도도 높아서 중심공간이 된다. 즉 대기공간과 진료공간이 주요공간이며 이 공간들을 중심으로 부차적인 공간이 분화되며 연결되었다. 또한, 복도가 있는 치과의원의 공간은 대기공간과 진료공간을 연결하는 복도를 중심으로 연결도와 통합도가 높았다. 이동의 확률적 분포양상을 보여주고 보행량을 예측하는데 이용되는 ERAM(3)는 복도와 중심공간에서 높게 나타나서 치과의원의 경우 연결도와 통합도가 높은 중심공간에 사람의 이동도 많고 복잡한 공간이 됨을 알 수 있다. 사례로 선정된 치과의원은 진료실의 연결도, 통제도, 통합도, ERAM(3)등 모든 요소에서 가장 높고 중심공간임이 나타났다.

치과의원 사례 평면

치과의원의 시각적 접근과 노출이론(VAE) 분석 결과

연결도		1.714
통제도		1.000
통합도		1.476
ERAM(3)		1.000

17. 치과의원의 설계과정에 따른 공간구성 특성

공간분석에서 가장 많이 사용하는 방법은 그래프 이론, 시각적 접근과 노출(VAE), 그리고 공간구문론이다. 치과의원을 설계하는 과정에서 공간분석 방법을 이용하여 설계과정의 공간구성을 평가하면서 설계에 따른 공간변화를 분석하면서 평가할 수 있다. 분석 대상으로 선정한 치과의원의 설계과정과 그에 따른 공간분석을 살펴본다.

대상 치과의원의 공간구성과 설계과정을 살펴본다. 분석 대상으로 선정한 치과의원은 근린생활시설 내 위치하는 72.99m^2 규모이다. 공간구성은 안내, 대기실, X-ray실, 진료실, 원장실, 위생사실, 기계실로 전형적인 치과의원의 공간구성을 가지고 있다. 치과의원의 프로그램 구성은 진료실과 대기실을 중심으로 기계실, X-ray실, 원장실이 측면에 위치하며 위생사가 중앙을 관통하면서 동선을 형성하게 된다.

대상 치과위원 평면과 공간구성   프로그램 구성 다이어그램

치과의원의 형태는 근린생활시설의 내부공간 구획에 의해 결정된 상태로 단순한 기하학적 형태를 벗어나 있다. 내부공간 설계과정의 단계는 주어진 평면에 프로그램을 대기실과 진료실을 중심으로 하고 주변에 원장실, 기계실과 위생사실 등 3개의 조닝으로 배치하였다. 이후 주요공간인 대기실과 진료실을 연속된 벽체를 이용하여 구획하면서 동선을 조정하였다. 마지막 단계에서 기능적인 실들의 구성을 위하여 일부 벽체들을 이용하여 구획하였다.

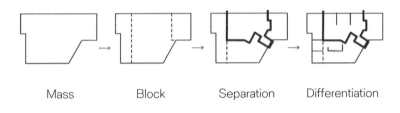

Mass　　　　Block　　　　Separation　　　Differentiation

내부공간 설계과정의 단계별 공간구성의 변화

그래프 이론으로 공간 분석한 결과 입구에서 시작하여 총 6단계의 깊이로 이루어진 공간구성으로 나타났다. 입구에서 연결된 접수는 주공간으로 접수에서 대기실, 위생사실, X-ray실 등 세 공간으로 분화되는 중심공간이며 환자가 방문하여 처음 접하는 공간이 된다. 이후 대기실애서 진료실로 가는 단계인 전실은 환자의 대기실, 진료실과 원장실을 연결하는 중요공간이 된다. 진료실은 진료에 관련된 모든 공간이 분화되는 공간이다. 즉 진료실에서 TBI실, 준비실 등이 연결되는 중요공간이 된다. 치과의원의 중요 프로그램은 접수와 대기실, 진료실이다. 접수를 중심으로 대기실과 진료를 위한 준비단계 실들이 분화되고, 진료실은 진료에 관련된 실들의 조닝의 중심이 된다. 그리고 대기실과 진료실을 중간에서 연결하는 원장실이 위치하고 있고 치과의사의 동선이 연결된다. 또한, 가장 복잡한 동선을 이루는 위생사는 접수에서 진료보조까지 원할하게 이루어져야 하므로 접수, 대기실, 진료실을 효율적으로 연결하게 된다. 모든 실의 적절한 구분과 환자, 치과의사, 위생사의 동선을 적절하게 배분하기 위하여 대기실과 진료실 사이의 전실이 중요하며 중심공간이 된다. 그래프 이론으로 분석한 결과는 다음과 같다.

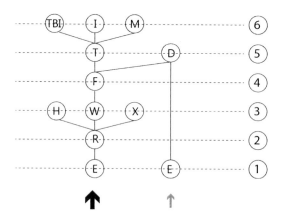

T:진료실, D:원장실, I:소독실, TBI: TBI실, M:기계실, E:입구, R:접수,
W:대기실, X:X-ray, H:위생사실, F:전실

대상 치과의원 평면과 공간구성

선정한 치과의원의 평면상 공간에 따른 시각적 접근(VA), 시각적 노출(VE), 사분할도(Quadrant)의 상태를 확인하였다. 시각적 접근(VA)의 결과는 대기실보다 진료실에서 시각적 접근값이 크게 나타났다. 진료실의 일부 공간은 대기실과 시각적 연결이 높은 것으로 나타났다. 안내실은 기둥과 벽체로 인하여 시각적 접근값이 낮게 나타났다. 부속공간인 X-ray실, 위생사실, 원장실의 연결공간은 시각적 접근값이 낮았다. 시각적 노출(VE)은 복도로 연결된 진료실 입구 공간이 시각적 노출도가 가장 높았다. 대기실과 일부 진료실의 시각적 노출도가 높고 통로는 상대적으로 낮아 통로를 중심으로 진료실과 대기실의 분리가 나타났다. VA값이 낮은 부속공간 연결공간이 VE도 낮았다. 사분할도(Quadrant)는 진료실은 VA, VE 모두 높아 환자나 진료 인력 상호간 시각적 교류가 많은 공간으로 나타났다. 대기실은 안내데스크, 기둥 등 시각적 차단물이 많아 VA, VE 모두 낮게 나타났다. 원장실, X-ray실 등 부속공간 연결부분은 시각적으로 노출되지 않는 공간으로 설계한 의도가 적절함을 보여준다. 안내공간은 VA, VE 모두 낮아 시각적 보조 장치가 필요하다.

출입구, 안내공간이 시각적 접근과 노출이 많아 시각적 교류가 가능하였고 진료실 공간은 상대적으로 진료에 집중할 수 있는 폐쇄공간으로 나타났다. 설계과정에 따라 공간이 변하면서 VA, VE, Quadrant의 변화를 살펴보면, 단순한 Mass에서 시작하여 공간이 점차 분화되면서 VA, VE의 변화가 나타나며 그 결과를 확인할 수 있었다. 대기실과 진료실은 시각적 접근과 노출이 최소인 연결 복도로 분리하여 조절한 공간이 형성되었고 기계실, 위생사실, 원장실은 시각적으로 노출되지 않는 공간으로 확인되었다. 또한, 설계과정에 따른 Mass, Block, Separation 등 단계별 시각적 접근과 노출 분석은 점차 공간이 분화되면서 VA, VE, Quadrant가 변화하고 나누어짐을 알 수 있다. 시각적 접근과 노출(VAE) 분석방법은 디자인 과정에서 공간분할에 따른 단계별 공간의 성격을 명확히 시각화하므로 디자인 과정의 결과 평가에 유용한 방법임을 알 수 있다.

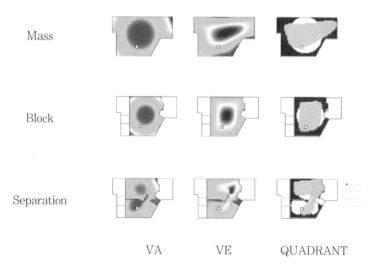

치과의원 설계과정의 단계별 VAE 결과

공간구문론을 이용한 공간분석 결과 연결도는 2, 통제도는 1.000, 통합도는 1.102, 부분통합도는 1.021, ERAM(3)는 1.000으로 나타났다. 모든 공간의 통합도가 1.0 이상으로 접근성은 좋은 것으로 나타났다. 연결도가 제일 높은 곳은 대기실에서 진료실을 연결하는 공간으로, 대기실에서 전실을 통과하여 진료실로 들어가는 방향의 공간이다. 대기실과 진료실을 연결하는 전실은 통제도가 높아 자연스럽게 통제되나 원장실은 통제도가 낮아서 안전상 CCTV 등 추가 요소가 필요함을 알 수 있다. 통합도가 가장 높은 공간은 대기실과 진료실을 연결하는 공간으로 ERAM(3)도 가장 높아서 이 공간이 중심공간이며 사람의 이동도 제일 높은 곳이다. 그러나 중심공간과 주변공간의 편차가 커서 중심공간은 혼잡하며 동선의 불편이 나타날 수 있다.

연결도	통제도	통합도	ERAM(3)
2	1.000	1.021	1.000

공간구문론 요소별 결과

18. 의료시설 내 건축공간구성을 통한 치유환경 조성
-소우 후지모토 의료시설 사례들의 공간분석을 중심으로

최근 의료시설은 질병 치료라는 기존의 기능적인 공간에서 치유환경의 조성으로 변화하고 있다. 의료시설 내 치유환경의 형성은 건축설계 과정에서 내, 외부공간의 자연 요소 도입 및 생태건축 중 일부 요소들을 포함하는 경우가 많다. 그러나 이와 같은 환경적인 방법과 더불어 건축공간구성을 통하여 더욱 원리적인 치유환경의 건축 계획적 접근방법이 필요한 실정이다. 건축가들은 건축설계 과정에서 나름대로 건축계획 및 공간구성을 통하여 다양한 치유환경의 조성을 시도해 왔다. 특히 일본 건축가 소우 후지모토(Sou Fujimoto)는 1900년대 중반~2000년대 중반까지 병원건축의 설계 작품들에서 건축공간을 통한 치유환경을 제공하려고 노력하였다.

이러한 의료시설의 치유환경과 사회의 연관성을 고려하여 본 연구에서는 치유환경의 관점에서 소우 후지모토 병원 작품들의 배경 및 건축 철학적 특징들을 살펴보고, 공간구성을 통한 치유환경 조성의 결과인 건축공간구성 특성을 도출, 의료시설의 공간구성방법과 치유환경과의 상관관계를 분석하여 병원건축계획에 대한 다양한 자료를 제공하고자 한다.

의료시설은 전통적으로 효율적인 동선과 업무적인 기능성을 중심으로 하는 공간구성으로 인하여 많은 문제점이 제기되어 왔고 최근에는 사용자 중심으로 전환되면서 해결책으로 치유환경 조성의 중요성이 주목받았다. 치유환경의 범주는 온도, 소음, 환기 등 신체적 환경, 자연, 조망, 문화의 표현 등의 물리적 환경, 프라이버시, 쾌적성, 소통 등 심리적 환경 등으로 분류한다.

치유환경은 크게 물리적 환경과 심리적 환경으로 나눌 수 있는데 물리적 환경은 건축 환경을 포함한 물리적 조건과 운영체계 등이며 심리적 환경은 감성공학을 통한 시설 사용자들의 심리 및 행태의 안정을 위한 것으로 정의된다. 치유환경은 기존 의료의 주요 개념인 질병의 치료(Curing)에서 예방과 건강증진 등 포괄적인 건강을 위한 치유(Healing)로 확대되면서 개념화되었다[51].

의료시설의 치유환경은 공간구성의 다양성을 통하여 여러 가지 공간들을 병원 내에 연계시켜 환자들이 공간의 변화를 통해 직접 다양한 체험을 할 수 있게 한다. 사회적 접촉을 위한 공간 제공을 위하여 병원은 사회로부터 단절된 공간이 아니며 오히려 주변 도시환경과 연결, 통합되며 커뮤니티를 위한 공동의 공간으로 바뀌게 되어 일상생활의 연속으로 느끼게 하여 편안함을 제공하게 되어 치유환경을 형성할 수 있다. 움직임의 활성화라는 측면에서 보면 기존의 병원 동선은 단순하면서 효율적이며 이용자들의 선택이 아닌 강제동선의 경우가 많았으나 치유환경 조성 측면에서 환자들을 외부로 유도하면서 능동적으로 선택할 수 있는 움직임을 활성화하는 것이 중요하게 되었다[52].

치유환경을 위한 공간구성요소들은 외부환경, 시각, 그리고 동선과 공간의 연계 등이다. 외부환경과의 연계는 환경 친화적인 요소의 도입으로 외부환경과 유기적으로 관계 맺어 심리적, 시각적, 직접적 체험을 통하여 주변 환경과 잘 어우러져 도시의 맥락을 이어나가게 할 수 있다. 또한, 시각의 연계는 시각을 이용하여 외부환경을 접하고 개방감, 간접적 커뮤니티, 공간 인식 등 다양하고 풍부한 경험을 제공하게 된다. 동선과 공간의 연계는 다양한 이질적인 공간의 연결을 통하여 내, 외부환경을 연결하고 이동 동선을 환자 스스로 선택할 수 있게 하여 공간의 연결과 연속성을 확보하게 된다[53].

건축설계 단계에서 공간구성을 통하여 치유환경을 조성하는 대표적인 건축가가 소우 후지모토이다. 소우 후지모토의 병원 설계안들은 1996년부터 2006년에 집중되어 있다. 의료시설 사례를 살펴보면 세이다이병원(Seidai Hospital Work House, Annex), 다테시의 보호시설들(M Hospital, Day Care House, Work House, Group Home (Home for the Mentally Handicapped, Hokkaido)), 노보리베쓰 치매환자 치료시설(Group Home in Noboribetsu), 정서장애아동센터(Children's Center for Psychiatric Rehabilitation) 등이다. 소우 후지모토 병원작품들의 목록과 다이어그램은 다음과 같다.

소우 후지모토 의료시설 설계안과 다이어그램

Project	Diagram
Seidai Hospital Work House (Seidai Hospital Occupational Therapy Ward) 1996	
Seidai Hospital Annex (SHA) 1998	
M Hospital 1997	
M Hospital Day Care House 2000	
M Hospital Day Care House 2003	
M Hospital Work House 2003	
M Hospital Group Home (Home for the Mentally Handicapped, Hokkaido)(HMH)2003	
Group Home in Noboribetsu (GHN) 2003	
Children's Center for Psychiatric Rehabilitation(CCPR) 2006	

Note: The table above was built up from the author

소우 후지모토 의료시설 사례들의 공간구성과 다이어그램 특징은 단순한 부분들 사이에서 복잡성을 발견하고 복잡한 것들 사이에서 단순함을 추구하여 자연의 다양성을 현대의미로 재구축하고 복잡함과 불확정성을 제어하는 것이다. 이를 위하여 소우 후지모토가 사용하는 건축적 장치들로는 공간과 프로그램의 위계성 제거, 프로그램의 무작위적(random) 분포, 단위 입자(particle)의 증식 및 조합, 프랙탈적 복제, 매개공간 및 사이공간, 점층적 변화(gradation), 경계의 재구성 및 다양한 경계공간의 형성, 흐림(Blur), 우회(detour)하는 동선 등으로 부분의 건축, 모호함의 건축을 추구한다. 건축공간의 구성방법은 각도의 변화 및 조정(Angle), 단위 공간의 크기 변화 및 병치 즉 반복과 중첩(Layering), 밀어내기 방식을 통한 위치 및 방향 조정(Shift) 등이다.

소우 후지모토 의료시설 설계안의 공간 구성 특성

요소	특성
Plan	No Hierarchy
	Random Distribution
	Particle Combination
Composition	Fractal Repetition
	Between
	Gradation
	Ambiguity
	Blur
Circulation	Detour Circulation

Note: The table above was cited from Journal of Architectural Institute of Korea Annual Conference and edited from the author[54]

본 연구는 소우 후지모토 의료시설 설계안 중 Seidai Hospital Annex(이하 SHA) 1998, Group Home Noboribetsu(이하 GHN) 2003, M Hospital Group Home(Home for the Mentally Handicapped(이하 HMH)) 2003, Children's Center for Psychiatric Rehabilitation(이하 CCPR) 2006 등 4개 사례를 선정하여 현황 및 건축 계획적 특이점들을 살펴보았다.

소우 후지모토의 대표적인 병원 설계안 4개 사례를 공간구문론의 연결도, 통합도, ERAM(3) 등을 중심으로 분석하였다. 연결도는 분석한 사례 모두 1.939에서 2.140로 나타났다. 사례별로 큰 차이가 나타나지는 않았으나 SHA, GHN, CCPR 1층 등 방사선형으로 연결되는 사례들은 상대적으로 연결도가 높고 HMH, CCPR 2층과 같이 선형 사례들은 연결도가 낮게 나타났다. 또한, 방사선형, 선형 연결 방법의 차이와 더불어 HMH 사례와 같이 동선이 한 방향이며 편복도로 구성되어 각 실이 복도에 따라 형성된 경우 연결도가 낮게 나타났는데, 이는 연결도는 복도의 구성방식의 차이가 중요하다는 것을 의미한다. 통합도는 0.619에서 1.172로 사례에 따라 차이가 크게 나타났다. 통합도가 제일 높은 사례인 SHA는 loop 동선이며 이는 중앙에 가로지르는 동선을 배치하여 각 실과 긴밀하게 연결되어 공간의 접근도가 높다는 것을 의미한다. 이와는 반대로 통합도가 제일 낮은 사례인 HMH는 한 방향 동선이며 편복도 구성으로 인하여 각 실의 동시 접근이 어렵고 공간의 깊이가 지속해서 깊어짐을 의미한다. GHN은 형태상으로는 SHA

와 유사하나 loop 형태가 아닌 한 방향 동선으로 인하여 통합도가 낮게 나타났다. CCPR경우 상대적으로 통합도가 높게 나타났는데 이 경우 공용공간과 동선은 복잡하게 구성된 듯해도 복도에서 각 실로의 진입이 쉬워 접근성이 좋음을 알 수 있다. 이동의 확률적 분포양상을 보여주는 ERAM(3)은 공간구성 수법이 중심동선의 복도를 중심으로 각 실로 접근할 수 있게 설계되어서 중심동선에서 확률적으로 높음을 알 수 있다.

각 사례의 통합도와 이동의 확률적 분포양상인 ERAM(3)의 상관관계 분석에서 통합도와 ERAM(3) 결과가 가장 높은 곳이 중심공간임을 알 수 있다. SHA 사례에서 통합도가 높은 곳은 중앙동선이며 그중에서도 세면소(세면대, 파우더 실)를 관통하는 동선이 위치한 공간이며, ERAM(3)이 가장 높은 곳은 입구와 연결된 loop동선의 복도이다. 통합도와 ERAM(3)이 낮은 곳은 화장실과 전실을 통해 들어가는 개인병실로 공간의 깊이가 제일 깊은 곳이다. 이 분석의 결과 건축공간의 구성은 기본적으로 loop 동선을 중심으로 각 실의 연결하여 접근을 쉽게 하였고, 공용공간은 독립된 실로 구성하지 않고 복도와 통합된 상태로 라움플랜과 유사하다55).

GHN과 HMH 1층, 2층은 각각 방사선형과 선형 연결방식으로 평면 구성의 형태는 다르나 복도와 각 실이 차례대로 연결되면서 점차 공간의 깊이가 증가하는 방식의 동선으로 구성되어 통합도가 낮게 나타났다. 공간구성 방식은 GHN는 단순한 기하학적 형태에 내부공간을 분할하는 방식이며 HMH는 단위공간을 추가하는 방식으로 형태와 평면은 다르지만 실 구성은 중심동선에서 각 실로의 접근방식이 한 방향 동선으로 통합도 결과가 유사하다.

소우 후지모토 의료시설 설계안의 공간 분석 특성

Project		Connectivity	Control Value	Integration	Integration(3)	ERAM	ERAM(3)
Seidai Hospital Annex (SHA)		2.118	1.000	1.172	1.331	1.000	1.000
Group Home in Noboribetsu (GHN)		2.140	1.000	0.619	1.077	1.000	1.000
Home for the Mentally Handicapped (HMH)	1F	1.941	1.000	0.655	0.980	1.000	1.000
	2F	1.939	1.000	0.589	1.021	1.000	1.000
Children's Center for Psychiatric Rehabilitation (CCPR)	1F	2.065	1.000	0.733	1.044	1.000	1.000
	2F, Left	2.000	1.000	0.860	1.036	1.000	1.000
	2F, Right	2.000	1.000	0.688	1.019	1.000	1.000

Note: The table above was built up from the author

CCPR사례는 실 구성방식은 HMH과 유사하게 단순한 단위 공간을 추가하는 방식으로 구성하였으나 SHA와 같이 중심동선에서 실들이 방사선형으로 접근하였으며 그 결과 연결도와 통합도가 높아지면서도 다양한 공간의 변화를 획득하게 되었다. 2층의 경우는 방사선 유형의 1층과 다르게 선형 실 연결방식으로 인하여 1층보다 상대적으로 통합도가 낮게 나타나게 되었다.

공간구문론 분석요소 중 통합도 차이가 가장 큰 SHA사례와 HMH사례의 공간구성의 방법은 건축형태, 동선, 복도유형, 실 연결 관계 모두 다르게 나타났다. 두 사례의 비교결과 공간분할방식보다는 공간첨가방식(Add on)이, 한 방향 동선보다는 loop동선이, 독립유형보다 통합유형의 복도가, 그리고 선형보다는 방사선형 연결방식의 통합도가 높게 나타났다.

공간분할방식의 건축형태, 통합유형의 복도, 방사선형 실 연결 관계 등 공간구성방식은 같으나 동선의 차이가 나는 SHA사례와 GHN사례의 통합도 차이는 동선에 따른 것으로, loop동선은 동선을 중심으로 중심공간이 형성되나 한 방향 동선은 이동에 따라 공간이 깊어지면서 통합도가 낮아지게 된다.

162

소우 후지모토 의료시설 설계안의 공간 분석 특성

Project		Plan	Integration	ERAM(3)
Seidai Hospital Annex (SHA)				
Group Home in Noboribetsu (GHN)				
Home for the Mentally Handicapped (HMH)	1F			
	2F			

소우 후지모토 의료시설 설계안의 공간 분석 특성(계속)

Project		Plan	Integration	ERAM(3)
Childre n's Center for Psychia tric Rehabil itation (CCPR)	1F			
	2F		Left	Left
			Right	Right

Note: The table above was built up from the author

공간첨가방식의 건축형태인 HMH와 CCPR사례에서 CCPR 1층의 통합도가 높게 나타났는데 이는 동선, 복도유형, 실 연결 관계가 통합도에 영향을 주기 때문이다. 그러나 공간분할방식의 건축형태의 두 사례에서 통합도의 편차가 제일 크게 나타났고 그 차이는 동선이므로 CCPR 1층과 다른 사례들의 차이는 건축형태, 복도유형, 실 연결 관계보다는 loop+한 방향 동선에 기인한다. 또한, 건축형태, 동선, 실 연결 관계는 동일하나 편복도와 중복도로 복도유형의 차이가 있는 HMH와 CCPR 2층 사례에서 통합도가 낮게 나타났는데, 이는 한 방향에서 실과 복도가 연결되는 편복도 유형이 복도 양쪽에 실을 배치하는 중복도 유형보다 중심공간으로서 역할이 약함을 나타낸다.

실 연결 관계에서 방사선형의 SHA, GHN, CCPR 1층의 사례들이 선형인 HMH와 CCPR 2층에 비하여 국부 통합도(3)이 높게 나타났는데 이는 방사선형 실 연결 방법이 주변공간을 모으는 중심공간의 역할을 함을 의미한다.

소우 후지모토 의료시설 설계안의 공간구성과 공간 분석 특성

Project		Architectural Form	Circulation	Type of Corridor	Programs Connection	Connectivity	Integration	Integration(3)
Seidai Hospital Annex (SHA)		Division	Loop	Combined Corridor	Radical Connection	2.118	1.172	1.331
Group Home in Noboribetsu (GHN)		Division	One Direction	Combined Corridor	Radical Connection	2.140	0.619	1.077
Home for the Mentally Handicapped (HMH)	1F	Add on	One Direction	Independent Corridor (one side corridor)	Linear Connection	1.941	0.655	0.980
	2F	Add on	One Direction	Independent Corridor (one side corridor)	Linear Connection	1.939	0.589	1.021
Children's Center for Psychiatric Rehabilitation (CCPR)	1F	Add on	Loop+One Direction	Combined Corridor	Radical Connection	2.065	0.733	1.044
	2F, Left	Add on	One Direction	Independent Corridor (double-loaded corridor)	Linear Connection	2.000	0.860	1.036
	2F, Right	Add on	One Direction	Independent Corridor (double-loaded corridor)	Linear Connection	2.000	0.688	1.019

Note: The table above was built up from the author

166

19. 의료시설의 치유환경조성을 위한 요소별 특성

　의료시설은 전통적으로 환자를 수용하여 검사와 치료 외에 출생과 사망, 교육과 연구, 생활과 숙식, 경영과 사업 등 사회에서 일어나는 다양한 행위가 이루어지는 공간이다. 기존 의료시설은 기능성과 효율적인 동선의 공간구성으로 인하여 많은 문제점이 발생하였고, 최근에는 진료에서 질병의 예방과 재활의 포괄적인 서비스로 확대되면서 환자 중심으로 전환되고 이에 따른 치유환경 조성이 중요하게 되었다. 의료시설의 치유환경을 위한 공간구성 요소들은 외부환경을 이용한 휴식공간제공, 공간의 연계 동선, 시각적 완화 등이다. 이러한 다양한 외부환경과의 연계는 주변 환경 요소의 도입으로 심리적, 시각적, 직접적 체험과 함께 주변 환경의 맥락을 이어나가게 된다. 이러한 의료시설의 특수한 한계성과 입지의 제약을 극복하기 위하여 의료시설 주변 환경을 분석하고 기존의 대체 및 활용할 수 있는 환경을 구현하고자 노력하는 것이 필요하다.

　이 연구는 의료시설 치유환경 구성요소들을 설정하고 공간구문론 분석을 통하여 지역거점 3차 의료시설인 단국대학교병원, 암센터, 치과병원과 주변 환경인 단국대학교 천안캠퍼스의 내, 외부 공간과 주변 환경에 다양한 치유환경 조성의 특징을 살펴봄으로써 단국대학교 의료시설의 공용공간 조성의 적합성, 자연 요소의 지속가능한 활용방법, 그리고 외부환경과 의료시설간의 상호보완 및 연계성에 관련된 기초적 정보를 제공하고자 한다.

건축설계 과정과 자연 요소 도입

치유환경을 위한 공간구성요소들은 외부환경, 시각, 그리고 동선과 공간의 연계 등이다. 외부환경과의 연계는 환경친화적인 요소의 도입으로 외부환경과 유기적으로 관계 맺어 심리적, 시각적, 직접적 체험을 통하여 주변 환경과 잘 어우러져 도시의 맥락을 이어나가게 할 수 있다. 또한, 시각의 연계는 시각을 이용하여 외부 환경을 접하고 개방감, 간접적 커뮤니티, 공간 인식 등 다양하고 풍부한 경험을 제공하게 된다. 동선과 공간의 연계는 다양한 이질적인 공간의 연결을 통하여 내, 외부환경을 연결하고 이동 동선을 환자 스스로 선택할 수 있게 하여 공간의 연결과 연속성을 확보하게 된다.56)

건축과 자연의 통합과 상호관계구축이라는 관점에서 기하학적 건축요소와 비기하학적 자연요소의 유기적 조합과 공존 가능성과 자연경관과 건축경관의 통합적 인지체계의 구축이 필요하다. 르 코르뷔지에(Le Corbusier)의 건축적 산책은 즉 건축적 경관과 자연경관의 변화에서 오는 체험이 요구된다.57) 이는 내부조망성과 연속조망으로 나타나게 된다. 건축 디자인 방법은 자연지형과 건축이 유기적으로 결합된 단순 볼륨의 형태로 자연을 우월적인 위치에서 조망하는 것이다. 또한, 사이공간에 자연이 들어서는 외부공간을 조성하기도 한다. 단일 공간의 단순성을 유지하면서 내부공간을 역동적으로 구성하고 자연경관을 유입하는 것은 최소한의 개구

부를 적정한 위치에 계획하는 방법이다. 이 방법들은 지상공간의 자연과 건축의 혼합적 경관, 대지 연속성을 위한 필로티, 기하학적 건축과 비기하학적인 자연의 유기적 통합을 통하여 건축과 자연이 상호 관입되어 어우러지는 통합적 조화에 중점을 두었다.

르 코르뷔지에 빌라 사보아 내부에서의 조망과 옥상정원

프랑크 로이드 라이트(Frank Lloyd Wright)는 건축과 자연의 관계 가운데 나타나는 다양한 조망성을 이용하였다.58) 조망성-피난처성에서 조망성은 객체, 피난처성은 주체에 대응되며 객체와 주체가 일체화되는 경험을 의미한다. 조망성을 획득하는 방법으로 박스해체이론(Destruction of Box)을 사용하여 내, 외부가 서로 관입하는 유기적 개념이 생성되었다. 외부 조망성은 자연과 거주자의 일체화를 위한 의도이며 압축된 내부공간을 외부로 팽창시키며 이완 상태로 전환하는 운동성이 나타난다. 내부 조망성은 공용공간을 도입하여 활용을 높이고 극적 내부 조망성을 조성하여 공동체 정서를 향상하게 시킬 수 있다.

프랑크 로이드 라이트의 Taliesin West 내 Arther E. & Bruce Brooks
Pfeiffer House

데이비드 치퍼필드(David Chipperfield)는 움직임과 조망 또
는 시선을 통하여 주변, 세계와의 관계를 경험하고 건축설계의 중
심이라고 강조하였다.59) 그는 인간과 건축경험을 연결하는 조망과
인간과 건축, 건축과 자연을 연결하는 보이드 즉 중정을 중심으로
사용자와 도시의 관계를 찾았다.

David Chipperfield의 Wilson and Gough gallery

일본현대건축의 준야 이시가미(Junya Ishigami)는 베네치아
비엔날레 국제건축전 2008, 익스트림 네이처에서 일본관의 외부에
공기 같은 건축과 철과 유리로 만든 온실 등을 제작하여 건축과

자연의 관계와 경계를 새롭게 환기시켰다.[60)]

준야 이시가미의 Architecture as air, Park Groot Vijversburg visitor center

각 건축가의 건축공간에 자연 요소의 도입 특징은 다음과 같다.

건축설계안의 자연 요소의 특성

건축가	특성
르 코르뷔지에(Le Corbusier)	Promenade Architecturale
프랑크 로이드 라이트(Frank Lloyd Wright)	Destruction of Box Theory Prospect
데이비드 치퍼필드(David Chipperfield)	Movement and View Void
준야 이시가미(Junya Ishigami)	Another Nature

20. 단국대학교 병원과 주변 환경 공간구성

- 단국대학교 천안캠퍼스 내 단국대학교병원과 치과병원을 중심으로 -

단국대학교병원은 충청남도 천안시 안서동에 위치한 충청남도 의료분야에서 핵심적 역할을 하는 3차 의료기관이다. 1990년 의료기관 개설을 승인받았으며 1994년 병원을 준공, 개원하였다. 2020년 외래진료과목은 26개이며, 전문 클리닉과 생명과학연구소, 의학레이저센터, 의공학연구소, 바이오융합기술아카데미 등을 운영하고 있다. 단국대학교병원은 환자의 편의를 위하여 저층 분산형으로 공간을 배치하였다. 특히 병동은 산과 호수에 인접해있어 환자들에게 쾌적한 자연환경을 제공함으로써 치료와 요양에 도움을 준다. 단국대학교 병원은 경부고속도로 바로 옆에 위치해 접근성이 좋은 편이다.61) 단국대학교병원 옆 암센터는 지상 7층, 지하 3층에 암종별 센터, 건강증진센터, 내시경센터 등이 들어선다.62)

단국대학교치과병원은 단국대학교병원과는 다르게 1979년 치과대학 설립이 인가되었고 1984년 부속치과병원 개원하였다. 2013년 천안캠퍼스에서 지상 7층, 지하 1층 규모로 신축한 치과대학과 부속치과병원으로 본격 진료하였다. 단국대학교치과대학 및 치과병원은 천안캠퍼스 내 안서호 주변에 첨단 의료 공간 계획, 교육시설과 의료시설과의 연계를 활성화한 시설배치, 자연과 함께하는 쾌적한 진료환경, 치과진료용 유니트체어를 도입해 진료시간을

단축하여 운영의 효율성 및 기능성을 최적화한 의료계획으로 중부
권역 대표 치과종합병원으로 개발되었다.[63]

단국대학교 천안 캠퍼스 내 단국대학교병원, 암센터, 치과병원 배치

　　치유환경 요소 분석은 크게 휴식공간과 접근성으로 나눌 수
있다. 단국대학교병원, 암센터, 그리고 치과병원의 내, 외부 휴식공
간은 크게 로비와 내부의 휴게실, 옥상정원, 외부의 정원과 휴식공
간으로 나눌 수 있다. 그리고 휴식공간으로의 접근성은 병원에서
연결되는 부출입구 및 사용자의 동선과 관련된다.

단국대학교병원의 내, 외부 공간의 휴식공간

	병원	암센터	치과병원
내부 공간	Lobby, Rest Area, Playground	Rooftop Garden	Lobby, Rooftop Garden
외부 공간	Outdoor Garden, Walking Road	Outdoor Garden	Outdoor Garden, Walking Road, Lakeside Road

단국대학교병원 내부 공간의 휴식공간

Ward 1F.(Playground)	Ward 2F.(Rest Area)
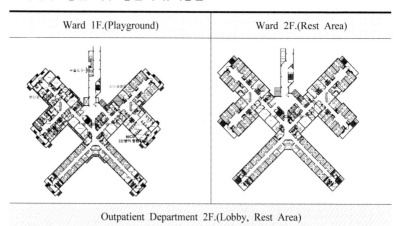	

Outpatient Department 2F.(Lobby, Rest Area)

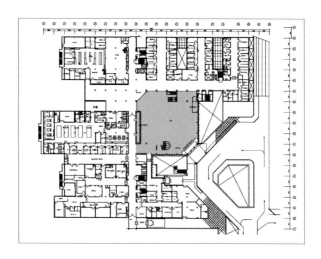

Outdoor Garden

Outdoor Garden

Walking Road

Outdoor Rest Area

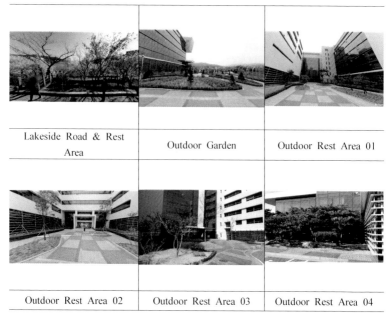

Lakeside Road & Rest Area	Outdoor Garden	Outdoor Rest Area 01
Outdoor Rest Area 02	Outdoor Rest Area 03	Outdoor Rest Area 04

단국대학교병원은 의과병원 내 저층의 외래 진료동의 로비와 휴식공간, 고층의 병동에는 병동마다 일정 공간의 휴식공간이 조성되어 있으며, 병원의 외부공간에는 다양한 정원과 휴식공간이 계획되어 있다.

암센터는 저층의 진료부와 고층의 병동을 연계해 암 환자의 이동 동선을 배려했으며, 기존 병원과 연결된다. 특히 4층에는 암 치료 과정에서 정서적 부담을 받기 쉬운 환자와 보호자를 위한 옥상정원이 조성돼 암 환자들을 위한 휴식공간으로 활용될 예정이다. 치과병원은 내부공간의 로비 이외에 별도 휴식공간이 제공되지 않으나 다양한 야외 휴식공간과 주변 천호지(안서호)에 휴식공간과 접근 동선을 조성하여 다양한 휴식공간을 제공하였다. 치과병원은 일층에 주출입구와 더불어 네곳의 부출입구를 제공하여 외부휴게 공간으로의 진입 동선을 위한 포함한 공간구성을 계획하였다.

치유환경 요소 분석 중 외부조망은 매우 중요한 요소 중 하나이다. 단국대학교병원과 치과병원은 큰매산과 천호지 등 주변 자연녹지 및 수공간이 위치하는 단국대학교 천안캠퍼스 내에 위치한다. 의과병원과 암센터는 자연녹지에, 치과병원은 수공간 주변에 배치되어 다양한 자연을 이용한 외부조망이 가능하다. 단국대학교 의료시설의 외부조망을 분류하면 다음과 같다.

외부조망 분류

단국대학교병원	암센터	치과병원
Mountain View	Mountain View	Lake View
Kunmae Mt.	Kunmae Mt.	Cheonhoji(Lake)
Southside, Westside	Northside, Westside	Southside

단국대학교병원, 암센터, 그리고 치과병원에서 외부조망의 이용 가능한 방향은 다음 그림과 같다. 의과병원과 암센터는 캠퍼스 계획 이후 별도의 계획으로 진행되어 캠퍼스 북쪽의 주변 산과 녹지에 배치되었고, 치과병원은 초기 대학교 캠퍼스 계획에 포함되어 캠퍼스 내 다른 건물과 가깝고 수공간에 면해서 배치되었다.

의과병원 내부에서는 주로 남쪽과 서쪽의 큰매산과 주변 녹지의 외부전망이 가능하다. 암센터에서의 외부전망은 주로 큰매산의 북쪽과 서쪽이다. 또한, 치과병원에서는 천호지 수공간의 전망이 좋은 남쪽에 공용공간을 계획하여 자연을 이용한 치유환경을 형성하였다.

단국대학교병원, 암센터, 치과병원의 배치와 외부조망

(a)   (b)

단국대학교병원 조망(a)과 치과병원 조망(b)

충남지역거점병원인 단국대학교병원과 치과병원과 주변 환경인 단국대학교 천안캠퍼스를 중심으로 주변 환경을 공간구문론을 이용하여 분석하였다. 외부공간은 치유환경과 연관된 휴게공간으로의 접근이 가능한 각 병원 주변의 보행이 가능한 가로체계를 이용하였다.

의료시설의 외부공간 분석방법은 주로 공간구문론을 이용하는데 공간구문론은 정량적 공간분석 이론으로 도시 내 공간의 이용 유형과 공간구조의 위상학적 관계에 따른 분포양상을 나타낸다.[64] 공간구조의 위상을 나타내는 공간구문론의 분석요소들은 연결도, 통제도, 통합도, ERAM(Eigenvector Ratio Adjacent Matrix) 등이다. 연결도는 특정 공간에 연결된 주변 공간들의 수로 주변의 공간들과 많이 연결되어 있을수록 수치가 높다. 또한, 통제도가 높은 공간은 주변 공간에 많은 영향을 준다. 통합도는 전체 공간에서 특정 공간에 쉽게 접근할 수 있는 것을 의미하며 분석값이 높을수록 공간의 중요도가 높은 중심공간임을 나타낸다. 부분통합도인 통합도(3)은 보행량과 관계가 깊으며, 공간 연결 관계에 따른 이동의 확률적 분포 분석방법인 ERAM은 보행량 예측에, ERAM(3)은 보행빈도를 가장 잘 예측하는 변수이다.[65]

단국대학교병원과 치과병원 공간구문론 분석 결과

	Medical Hospital	Dental Hospital
Connectivity		
	2.542	2.878
Integration		
	0.843	1.110
Integration(3)		
	1.244	1.418
ERAM(3)		
	1.000	1.000

단국대학교병원과 치과병원의 외부공간에 치유환경 조성 방법은 병원 내부공간에 휴식공간조성, 외부조망, 옥상정원 등 조경 배치 등 다양한 방법이 나타나고 있다. 또한, 외부공간은 주변 자연을 이용한 다양한 휴식공간을 계획하고 있다. 그러나 치유환경을 위한 휴식공간의 조성도 중요하지만, 휴식공간으로 쉽게 접근할 수 있는 동선 계획이 중요하다. 이를 위하여 공간구문론을 이용하여 현재 단국대학교병원과 치과병원 주변의 외부공간을 정량적으로 분석하였다.

단국대학교 병원 외부공간의 분석은 의과병원과 치과병원 지도를 Space syntax axial map을 작성하고, 공간구문론을 이용하여 외부공간과 각 건물의 배치, 외부공간의 연결성 및 특성, 주변 환경을 분석하였다.

단국대학교병원과 치과병원 축선도(Axial map)

의료시설의 치유환경 조성방법 중 외부공간은 주변 자연을 이용한 다양한 휴식공간을 계획하고 있다. 또한, 치유환경을 위한 휴식공간의 조성과 더불어 쉽게 접근할 수 있는 동선 계획이 중요하다. 단국대학교병원과 치과병원 외부공간을 공간구문론 분석 결과는 다음과 같다. 단국대학교병원과 치과병원의 외부 휴식공간 조성 및 접근에 관한 공간분석 결과는 다음과 같다.

단국대학교 병원과 치과병원의 공간구문론 분석 결과

Outdoor Rest Area		Connecti vity	Control Value	Integrati on	Integratio n(3)	ERAM	ERAM(3)
단국대학교병원	H-1	1	0.5	0.555	0.499	0.013	0.270
	H-2	1	0.25	0.651	0.846	0.039	0.451
	H-3	3	1.083	0.850	1.467	0.202	1.118
	H-4	3	1.445	0.751	1.362	0.108	0.992
치과병원	DH-1	2	1	0.951	0.979	0.309	0.403
	DH-2	1	0.5	0.524	0.422	0.018	0.179
	DH-3	1	0.143	1.059	1.241	0.719	0.567
	DH-4	1	0.143	1.059	1.241	0.719	0.567
	DH-5	1	0.125	1.087	1.327	0.870	0.644
	DH-6	1	0.125	1.087	1.327	0.870	0.644

단국대학교병원은 병원 후면에 조성된 정원들과 오솔길이 휴식공간의 역할을 하며 외부에서는 노출되지 않은 별도의 접근 동선을 조성하였다. 단국대학교병원 외부공간의 중심은 병원의 정면 도로와 병원과 의과대학을 연결하는 도로이다. 이는 의과병원과 부속 건물들을 연결하는 주도로체계와 일치하며 중심공간은 주변에서의 접근이 쉽도록 설계되어 있다. 병원 외부 휴식공간은 병원 전면부의 자동차와 보행과 별도로 병원의 후면부 천매산과 단국대학교 캠퍼스와 연결된 도로 쪽에 형성된다. 외래진료공간과 병동에서 외부 휴식공간으로의 접근은 별도의 출입구를 이용하며 연결도는 1이고 통합도는 각각 0.555(H-1)와 0.651(H-2)로 낮으나 휴식공간으로 진입한 후 보행로의 연결도는 3, 통합도는 0.850(H-3)이고 주변공간은 0.751(H-4)로 높아 상호 간의 공간적 연결은 좋은 것으로 나타났다.

치과병원은 의과병원의 배치와 다르게 단국대학교 천안캠퍼스의 다른 건물과 도로와 밀접하게 연결되어서 외부에서 치과병원으로의 진입도로보다 캠퍼스 내 도로와의 관계가 더 밀접하다. 치과병원의 연결도는 주출입구의 도로가 높지만, 중심공간은 주출입구도로보다는 안서호 방향의 도로가 높았다. 치과병원 외부공간의 휴식공간은 서로 공간적 성격이 다른 두 가지 유형으로 구분될 수 있다. 치과병원은 주 출입구 이외 외부로 연결되는 부출입구가 네 곳으로 많고 부출입구 주변에 휴식공간을 조성하여 휴식공간은 보행동선으로 이용되어 접근은 쉬우나 휴식공간의 요구 조건인 머무

름은 어려울 수 있다. 오히려 DH-2의 정원은 공간분석의 결과에서 통합도는 0.524, ERAM(3)는 0.179로 혼잡함이 없는 외부 휴식공간이 가능함을 알 수 있다.

의료시설 외부공간 분석 결과 치유환경으로 단국대학교병원 후면부 외부공간은 공간의 접근성은 낮아 혼잡도는 적지만, 휴식공간 내에서는 통제도와 통합도가 높은 오솔길과 정원이다. 이는 기존 의료시설의 휴식공간이 머무름의 공간인 데 비해 단국대학교병원은 산책과 휴식을 위한 동적인 길을 조성하여 체험의 공간이라는 적극적이면서 새로운 치유환경을 형성하였음을 알 수 있다. 또한, 치과병원 주변 정원은 낮은 통합도와 낮은 ERAM(3)로 기존의 정적인 머무름의 휴식공간을 제공한다.

공간구문론으로 분석한 단국대학교병원과 주변 환경 공간구성 관계를 정리하면 다음과 같다. 단국대학교병원은 자연녹지 내에 개발된 외래진료동과 병동으로 구성되어 있다. 병원은 한정된 내부공간에 기능적인 동선과 공간구성을 중심으로 하여 내부공간에 휴식공간이 극히 적게 나타났다. 진료동은 로비와 일부 편의시설을 이용한 휴식공간과 병동에는 별도의 휴식공간을 조성하였다. 내부공간의 휴식공간 형성의 한계로 인하여 외부공간에 조경을 이용하여 녹지와 휴식공간을 조성하였다. 병원 외부의 휴식공간은 외부도로와 병원 사이 녹지에 형성되게 된다. 병원 후면부 녹지공간은 병원에서의 접근도는 낮으나 일단 접근되면 오솔길과 정원 간의 연결도와 통합도는 높아 외부에서는 노출되지 않고 휴식공간 내부에서는 동적인 공간이 형성되어 의료시설 직원과 환자 등 내부 사용자들을 위한 공간이 된다. 또한, 신축 중인 암센터는 옥상정원을 계획하여 부족한 실내 휴식공간을 보완하고자 하였다. 옥상정원은 자연의 일부를 이용한 직접적 휴식공간이자 옥상공원에서 주변 자연녹지를 바라보는 전망까지 확보하여 치유환경을 극대화할 수 있다. 치과병원의 외부공간은 출입구와 연결한 다양한 휴게공간을 조성하여 치유환경을 형성하였다. 건물의 형태를 단순한 직육면체 형태에서 벗어나 구역별 조닝을 이용한 요철형태로 디자인하면서 나타나는 사이공간인 외부공간에 치유환경의 중요한 요소인 휴게공간 및 직접적 연결 동선을 조성하였고, 주변 수공간 내 휴게공간으로의 접근을 유도하였다. 또한, 치과병원의 배치에서 살펴보면 외부조망은 동쪽 진입로 방향보다 남쪽 수공간 방향이 유리하므로 외부조망용 전면창을 수공간 방향에 위치시켰다. 이는 치유환경 조성 요소가 초기 건축설계에 적극적으로 반영되어 건축형태를 결정하는 주요한 사항이 되는 사례이다. 공간구문론으로 주변 외부공간을 분석한 결과 치과병원 다섯 곳 출입구들은 다양하게 외부휴게공간과 연결되어 사용할 수 있는 공간구성을 하였다. 또한, 내부중정으로의 개방적이고 안서호 전망이 좋은 공용공간을 계획하여 기존 병원의 중복도 형식에서 느끼는 폐쇄된 공간을 해결하며 외부전망 공간을 계획하였다. 치과병원 내부공간에서 내부휴게공간이 필요하지만 제공되는 공간은 극히 제한적이어서 치유환경 조성의 한계가 나타난다.

에필로그

　근대사회는 임상의학의 출현과 더불어 질병의 공간화에 따른 도시 내 의료공간으로 구성되었고 의료시설의 건축계획은 의료기능을 중심으로 발전하였다. 또한, 의료시설의 주요 공간구성은 전문가인 의사를 중심으로 구성되어왔으며 최근 소비자주의와 국가의 통제로 인한 변화가 나타나서 공간구성에도 영향을 미치고 있다. 19세기 서양의 근대국가 성립 과정에서 형성된 전문가주의는 전문지식을 기반으로 조직 내부에서의 교육과 정부와의 공식적인 면허를 통하여 배타적인 세력을 구축하였으며 자율적인 결정과 공공성을 기반으로 타당성과 정당성을 부여받아 왔다. 최근에는 정부의 규제, 소비자주의의 출현, 그리고 전문가주의의 공급으로 인한 조직 내 경쟁 등 사회적, 경제적 위치가 변화하기에 이르렀다.

　이 책은 현대사회의 다양한 공공성 중 기본이라고 할 수 있는 의료의 공공성을 이해하는데 질병의 공간화와 전문가주의라는 사회학적 관점과 공간분석의 방법론을 이용하여 건축과 공간의 시각으로 복합적이고 다층적인 이해를 시도하였다. 한국 의료분야 중 치의학을 특정한 것은 연구자가 직접 경험했던 분야이기 때문이다.

이글은 건축과 의료분야를 넘나들며 나름대로의 관점을 통해 사회를 이해하려는 작업이며 치과신문에 연재한 자료와 건축학회와 학술대회 등을 통해 발표한 연구자료를 바탕으로 정리한 결과이다. 이 책의 바탕이 된 연구 논문은 다음과 같다.

정태종, 최재필. 한국 치의 공간구성의 변화에 관한 연구 - 서울시 소재 치과대학/치의학대학원과 치과병원 분석을 중심으로 -. 한국의료복지건축학회지 『의료·복지 건축』, Vol.23 No.1(통권 66호)(2017-03)

정태종, 최재필. 한국 치의공간의 배치특성에 관한 연구 - 한국 내 열한 곳 치과대학/치의학대학원과 치과병원을 중심으로 -. 한국의료복지건축학회지 『의료·복지 건축』, Vol.23 No.2(통권 67호)(2017-06)

정태종, 최재필. 한국 내 장애인 구강진료센터의 공간특성에 관한 연구. 한국의료복지건축학회지 『의료·복지 건축』, Vol.23 No.3(통권 68호)(2017-09)

정태종, 최재필. 한국 치과병원내 진료과목의 공간배분계획에 관한 연구. 한국의료복지건축학회지 『의료·복지 건축』, Vol.23 No.4(통권 69호)(2017-12)

정태종. 한국 내 의과대학병원 내 치과의 공간구성특성에 관한 연구 - 서울지역 의과대학병원을 중심으로 -. 한국의료복지건축학회지 『의료·복지 건축』, Vol.25 No.1(통권 74호)(2019-03)

정태종, 김재섭, 이학성. 전문가주의 발전과정에 따른 공간구성 특성 분석 - 한국 의료분야 전문가주의 사례분석 -. 대한건축학회 학술발표대회 논문집, Vol.39 No.1 (2019-04)

정태종. 의료시설 내 건축공간구성을 통한 치유환경 조성에 관한 연구 - 소우 후지모토 의료시설 사례들의 공간분석을 중심으로 -. 한국의료복지건축학회지 『의료·복지 건축』, Vol.25 No.2(통권 75호)(2019-06)

정태종. 미셸 푸코의 '질병의 공간화' 개념을 이용한 치의공간구성 분석 연구 - 서울대학교 치의학 대학원과 치과병원 사례 분석을 중심으로 -. 한국의료복지건축학회지 『의료·복지 건축』, Vol.25 No.3(통권 76호)(2019-09)

정태종, 최재필. 의료시설 공간분석 방법에 관한 연구. 대한건축학회 학술발표대회 논문집, Vol.39 No.2 (2019-10)

정태종. 의료시설 내 치유환경 조성을 위한 자연요소 도입에 관한 연구. 대한건축학회논문집 계획계, Vol.35 No.11 (2019-11)

정태종. 한국 의료분야와 건축설계분야 전문가주의에 대한 공시적, 통시적 비교 분석. 대한건축학회논문집 계획계, Vol.36 No.03 (2020-03)

정태종. 치과의원의 공간구성과 설계 과정별 공간변화 분석방법. 대한건축학회 학술발표대회 논문집, Vol.40 No.1 (2020-04)

정태종. 한국 치과 전문의 제도 시행에 따른 치과 의료체계의 전문성과 공간구성의 변화에 관한 연구. 대한건축학회논문집 계획계, Vol.36 No.05 (2020-05)

김재섭, 정태종, 안대환. 의료시설과 주변 환경 연계를 통한 치유환

경 조성. 대한건축학회 학술발표대회 논문집, Vol.40 No.2 (2020-10)

정태종, 엄준식. 치유환경 조성을 위한 의료시설과 주변 환경 연계에 관한 연구. 대한건축학회 학술발표대회 논문집, Vol.40 No.2 (2020-10)

정태종. 미셸 푸코의 3차 질병의 공간화에 따른 건축도시공간 특성 분석. 대한건축학회 학술발표대회 논문집, Vol.40 No.2 (2020-10)

정태종. 의료시설의 치유환경조성을 위한 요소별 특성 분석. 대한건축학회논문집, Vol.36 No.12 (2020-12)

안대환, 정태종. 대학 병원과 연결된 자연속 보행로 특성 연구. 대한건축학회 학술발표대회 논문집, Vol.41 No.1 (2021-04)

정태종, 안대환. 보행환경 연계를 이용한 의료시설의 치유환경 조성 연구. 대한건축학회 학술발표대회 논문집, Vol.41 No.1 (2021-04)

정태종. 코로나 19 감염병 방어공간의 공간구성과 상관관계 연구 – 미셸 푸코의 질병의 공간화 개념을 이용한 건축도시공간 특성 분석 –. 한국문화공간건축학회 논문집, 통권 제74호 (2021-05)

참고문헌

<단행본>
기창덕. 1995. 한국치과의학사. 아카데미아
기창덕. 1995. 의학 치과의학의 선구자들. 아카데미아
네틀턴, Korean Dental Association (Translation), 2000, 푸코와 치아 (Nettleton, Sarah, 1992, Power, Pain and Dentistry, Open University Press, Buckingham), Hanul Publishing Co., Seoul
데이비스, Social Dentistry Research Institute (Translation), 1994, 사회와 치의학: 치과의료의 사회학적 재조명 (Davis, Peter B, 1980, The Social Context of Dentistry, Croom Helm, London), Hanul Publishing Co., Seoul
박영선, 김상환. 2014, 사물의 분류와 지식의 탄생: 동서 사유의 교차와 수렴, 이학사
수전 손택, 이재원 옮김. 2002. 은유로서의 질병. 이후
신재의. 2004. 한국근대치의학사. 참윤
이반 일리치 저, 박홍규 역. 2004. 병원이 병을 만든다. 미토
이반 일리치 저, 신수열 역. 2015. 전문가들의 사회. 사월의책
한승완(Translation), 2001, 공론장의 구조변동(Habermas, Jurgen, 1990, Strukturwandel der Offentlichkeit : Untersuchungen zu einer Kategorie, SuhrkampVerlagGmbH , wisenschaft), Nanam Publishing Co., Seoul
황상익 편 지음. 1998. 문명과 질병으로 보는 인간의 역사. 한울림
미셸 푸코, 이상길 역, 2014. 헤테로토피아, 문학과지성사
헨리 지거리스트, 황상익 옮김. 2008. 문명과 질병. 한길사
Chamberlain, J. 2013. The Sociology of Medical Regulation, Springer, Dordrecht
Clayton M. Christensen, Jerome H. Grossman, Jason Hwang.

2008. The Innovator's Prescription: A Disruptive Solution for Health Care. McGraw-Hill

Kobus, Richard L., Skaggs, Ronald L., Bobrow, Michael, Thomas, Julia, Payette, Thomas M. 2008. Building Type Basics for Healthcare Facilities. John Wiley & Sons Inc.

Nikolaus Pevsner. 1979. A History of Building Types, Princeton, USA

Paul Starr. 2012. 미국의료의 사회사. KMA 의료정책연구소

Sheridan A.M., (Translation), 2003, The Birth of the Clinic (Foucault, Michel, 1963, Naissance de la Clinique, Presses Universitaires de France, Paris), Routledge, UK

<학위논문>

김일출, 치과 의료기관 네트워킹에 관한 연구 : 문헌 연구를 중심으로, 경희대학교 석사, 2007

민병직. 미셸 푸코의 시각성에 관한 연구. 홍익대학교 석사 학위논문, 2000

박민수. 환자 중심적 측면에서 본 국내 종합병원 외래진료부 대기공간의 치유환경요소에 관한 선호도 연구. 석사학위논문, 중앙대학교, 2005

박혁수. 최근 우리나라 병원건축의 형태와 공간배치 유형에 관한 연구. 한양대학교 석사논문, 1998

손지혜, 국내 종합병원의 공용공간에서 나타나는 군집 유형과 이용자 행태에 관한 조사 연구, 한양대학교 석사논문, 2010

신승철. 종합병원의 효율적인 공간분석을 위한 건축계획적 연구. 서울대학교 석사논문, 2006

양혜원, 공공성의 관점에서 본 종합병원의 사례 분석, 연세대학교

석사논문, 2010

윤정환. 대한민국 정부 수립 후 공공의료기관의 시대변천에 따른 고찰. 경희대학교 석사논문, 2006

이유림, 건축공간의 공공성 확보 기법에 관한 연구, 중앙대학교 석사논문, 2003

이주나, 개방형 병원제도에 대한 의사들의 인식도, 연세대학교 석사논문, 2002

이현진, 학제간 연구에서 몸의 담론, 부산대학교 석사 학위논문, 2016

임소영. 서울시 자치구별 도시기반시설의 지역격자에 관한 연구. 단국대학교 석사논문, 2012

조동영. 병원의 다각화가 경영성과에 미치는 영향. 가천대 박사논문, 2014

채종형. 국내 종합병원 스페이스 프로그램 변화에 관한 연구, 석사학위논문, 한양대학교, 2009

현우정. 도시공간특성에 따른 장소성형성에 관한 연구. 서울시립대학교 석사논문, 2010

<학술논문>

권만우, 인문사회기반 융복합연구의 현황과 과제, 한국운동재활학회 학술대회, 2012.

권상옥. 의학적 시선에서 기술적 시선으로 : 미셸 푸코의 임상의학의 탄생을 중심으로.. 의철학연구 제7집, 2009, pp.63-80,

고상균, 치과대학병원의 진료과별 단위공간구성에 관한 연구, 대한건축학회연합논문집 13(3), 2011. pp. 87-95.

김덕수 외 1 명, 한국 의료건축연구의 근거기반설계에 대한 최근 연구동향, 한국의료복지건축학회. 2014.

김용일, 김지영, 박귀화, 멀티캠퍼스 의학교육의 현황분석과 대응방안: 의과대학의 복합형 교육병원형 교육체계 분석을 중심으로, 한국의학교육 17(2), 2005, pp. 135-149.

김진왕, 토목공학과 의학의 교감, 대한토목학회지 55(8), 2007. pp. 50-53.

김홍순, 정다운. 서울시 의료시설의 공간적 분포특성에 관한 연구. 한국도시행정학회 도시행정학보 제23집 제1호 2010.

유영민, 한국의 병원건축계획사에 관한 기초적 연구: 병원건축연구를 중심으로, 한국의료복지건축학회. 2010.

유영민, 한국의료복지시설학회의 역사와 활동, 의료·복지 건축 18(4) 2012, pp. 67-74.

이민구, 홍세연, 푸코의 질병의 공간화와 중동 호흡기 증후군, 의철학연구 20, 2015.12, pp. 65-85.

이정상, 의과대학-공과대학간 융합과정을 통한 생명공학 교육 및 연구의 세계화 방안 연구, 유체기계공업학회 제4회 한국유체공학학술대회 논문집 (제2권), 2006.8, pp. 591-599.

이종찬. 근대 임상의학의 형성에 관한 두 가지 다른 역사적 해석. 의사학 제3권 2호 (통권 제5호). 대한의사학회, 1994, pp. 202-217.

최광석, 건강한 건축·도시환경을 위한 연구모형 구축에 관한 연구, 한국의료복지건축학회. 2013.

한기호, 융합, 통섭, 또는 융복합, 그 의미와 환원가능성, 인문논총 41, 2016, pp. 173-194.

한진규, 이특구. 한국 병원건축의 발전과정에 관한 연구,1 :서울대학교 병원의 조직 및 기능변화와 시설의 배치변화를 중심으로. 한국의료복지건축학회, 제11권 제1호 통권20호. 2005.

허경. 근대 임상의학 및 생명 담론의 변화 : 미셸 푸코의 임상의학의 탄생을 중심으로.. 생명연구 제23집 서강대학교 생명문화연구소, 2012, pp. 23-68.
Choi, Jaepil, Reinterpretation of a Social Historian's Work in terms of Current Environment-Behavior Issues, Journal of Environmental Psychology 10, 1990, pp. 67-77.

<연구보고서>
보건복지통계연보. 복지부, 2015
보건의료 인력수급 추계연구. 복지부, 2015
2015년도 아동 구강건강 실태조사. 보건복지부, |2015
염철호, 심경미, 조준배. 건축·도시공간의 현대적 공공성에 관한 기초 연구. 건축도시공간연구소 연구보고서, 2008
추진, 서비스디자인에 기반한 의료공간 패러다임 변화에 관한 연구, 서비스산업연구 제12권 제1호, 2014.12, pp.51-64.

<웹사이트>
대한치과의사협회
http://www.kda.or.kr/kda/kdaIntro/greeting/html.kda
치과의료정책연구소 http://www.hpikda.or.kr/
http://terms.naver.com/entry.nhn?docId=970556&cid=42114&categoryId=42114
https://namu.wiki/w/%EC%B9%98%EA%B3%BC
http://navercast.naver.com/magazine_contents.nhn?rid=2807&contents_id=114000
http://www.korea.kr/archive/expDocView.do?docId=3678

주석

1) 생명과학대사전, 2014.
2) https://www.nrf.re.kr/biz/doc/class/view?menu_no=323.
3) 국립국어원, 표준국어대사전.
4) 학문명백과: 의약학, 형설출판사.
5) 의학의 세분화 과정과 현대의학 (의학개론 1(의학의 개념과 역사), 2006. 4. 10., 서울대학교출판부)
6) https://www.merriam-webster.com/dictionary/medicine
7) 예방의학 분야 (의학개론 1(의학의 개념과 역사), 2006. 4. 10., 서울대학교출판부)
8) 현재 일부 의학 또는 의료인들이 예방의학과 공중보건학을 혼동하여 인식하는 경향이 있다
9) 지금은 병원을 나타내는 말이지만 19세기 초까지는 구빈원, 고아원, 양로원의 뜻으로 쓰였다
10) 병원의학 시대와 실험실의학 시대의 대두 (의학개론 1(의학의 개념과 역사), 2006. 4. 10., 서울대학교출판부)
11) 어떤 것을 보게 되면서 명명하는 것! 언표할 수 있는 것에 주목한다.
12) Choi, Jaepil, Reinterpretation of a Social Historian's Work in terms of Current Environment-Behavior Issues, Journal of Environmental Psychology 10, 1990, pp.67-77.
13) Hillier, Bill; Hanson, Julienne, 1984, The Social Logic of Space, Cambridge University Press, Cambridge, GB, pp.95-97.

14) 김덕수, 의료복지시설 연구동향, 한국의료복지건축학회지 17(2), 2011.
15) https://ko.wikipedia.org/wiki/%EB%AF%B8%EC%85%8B_%ED%91%B8%EC%BD%94
16) https://en.wikipedia.org/wiki/The_Birth_of_the_Clinic
17) 정태종 외 2인, 전문가주의 발전과정에 따른 공간구성 특성 분석, 대한건축학회 학술발표대회 논문집, 2019. pp.486-487.
18) Hillier, B., Hanson, J. The Social Logic of Space. Cambridge University Press, 1984. pp.95-97.
19) 황미영, 임채진. Space Syntax Model에 의한 공간해석방법에 관한 고찰. 한국문화공간건축학회논문집 2, 1999. pp.89-104.
20) 강정민.김동일, 미셸 푸코의 미술관에 대한 테제들, 인문연구 66호, 2011, p.137
21) 허경, 미셸 푸코의 헤테로토피아-초기 공간 개념에 대한 비판적 검토, 도시인문학연구 제3권 2호, 2011, p.247
22) 앞의 논문 p.217
23) 앞의 논문 p.225

24) 푸코 미셸 저, 이상길 역, 헤테로토피아, 문학과 지성사, 2014, pp.14-15
25) Foucault, Michell, Paul. 1963, Naissance de la Clinique, Paris, Presses Universitaires de France. pp.49-55
26) 대한치과의사학회(번역), 2000, 푸코와 치아, (Nettleton, Sarah, 1992, Power, Pain and Dentistry)
27) 사회치의학연구회(번역), 1994, 사회와 치의학 : 치과의료의 사회학적 재조명 (Davis, Peter B, 1980, The Social Context of Dentistry)
28) 글 내용 중 한국의 치의학 도입과정에 대한 부분은 기존 자료마다 주장하는 바가 상의할 수 있어 필자가 역사적 사실을 정리한 것이며 오류가 있을 경우 정정할 예정입니다.
29) 이글에서 치과대학/치의학대학원 명칭을 서울대학교는 학제개편을 시행한 2005년 이전은 치과대학, 이후에는 치의학대학원으로 하였고 연세대학교와 경희대학교는 치과대학으로 하였다.
30) 이민구, 홍세연, 2015, 푸코의 질병의 공간화와 중동 호흡기 증후군, 의철학연구 20, pp.65-85
31) https://www.archdaily.com/937840/alternative-healthcare-facilities-architects-mobilize-their-creativity-in-fight-against-covid-19
32) 최태숙. (2006). 건축설계직능의 전문화 과정에 관한 연구, 박사학위논문, 동국대학교
33) Greenwood, E. (1957). The Attributes of a Profession, Social Work 2(3), 45-55.
34) Freidson, E. (1994). Professionalism Reborn: Theory, Prophecy, and Policy, University of Chicago Press, Chicago.
35) Goode, W. (1960). Encroachment, Charlatanism and Emerging Profession: Psychiatry, Sociology and Medicine, American Sociological Review 25, 902-965.
36) Hall, R.H. (1968). Professionalism and Bureaucratization, American Sociological Review 33(1), 92-104.
37) https://www.snudh.org/portal/contents.do?menuNo=24010100
38) 의료법 3조 3(종합병원). 300병상을 초과하는 경우에는 내과, 외과, 소아청소년과, 산부인과, 영상의학과, 마취통증의학과, 진단검사의학과 또는 병리과, 정신건강의학과 및 치과를 포함한 9개 이상의 진료과목을 갖추고 각 진료과목마다 전속하는 전문의를 둘 것.
39) http://www.amc.seoul.kr/asan/departments/deptListTypeA.do
40) https://www.cmcseoul.or.kr/page/department/A
41) 치과 전문의제도는 2003년 9월 18일 '치과의사 전문의의 수련 및 자격인정 등에 관한 규정 시행령, 시행규칙'을 제정, 공포하면서 일단락되었다. 1951년 국민의료법 제53조에 의거 치과 전문분야 3개

과에 한하여, 1962년 5개 과로 규정, 전문의 자격을 부여할 수 있도록 하였다. 1989년, 1996년 두 차례의 입법 예고된 이후 1999년 치과의사협회에서 통과되었으나 일부 치과계의 심한 반대로 인하여 2001년 1차 진료기관 표방금지, 의료전달체계의 확립, 기존 치과의사 기득권 포기 등으로 타협하였고 2004년 인턴 합격자 293명, 2008년 220명이 치과의사 전문의가 되었다. 이후에도 지속적으로 변화를 겪고 있는 상황이다.

42) Korean Dental Association (Translation), 2000: 46; Nettleton, 1992

43) 2013년부터 건강증진사업을 통합하여 추진하기 위해 어린이 구강건강관리, 노인불소도포, 수돗물불소농도조정사업 등 구강건강관리 소요예산을 통합건강증진사업으로 통합하였다. 한국치과의료연감, 2015, p.183.

44) 구강보건법 제15조의2(장애인구강진료센터의 설치 등),

1. 보건복지부장관은 장애인의 구강보건 및 구강건강증진에 관한 다음 각 호의 업무를 수행하기 위하여 중앙장애인 구강진료센터를 설치, 운영하여야 한다.

2. 시, 도지사는 장애인의 구강진료 등 구강보건 및 구강건강증진을 효율적으로 추진하기 위하여 권역장애인 구강진료센터 및 지역장애인 구강진료센터를 설치, 운영할 수 있다.

45) 이글에서는 혼동을 피하고자 치과공간은 치의학과 관련된 모든 공간을 지칭하며 모캠퍼스에서 공간적으로 분리, 독립된 경우는 의학캠퍼스, 치의학캠퍼스로, 모캠퍼스 내 공간은 의학센터, 치의학센터로 구분하였다.

46) 김용일, 김지영, 박귀화, 2005, 멀티캠퍼스 의학교육의 현황분석과 대응방안 -41개 의과대학의 복합형 교육병원형 교육체계 분석을 중심으로-, 한국의학교육학회지 17(2), pp.135-149.

47) 현행 사용되고 있는 시설 구분은 2016년 1월 19일에 개정된 대학설립운영규정에 의하며 의학계열의 부속시설에는 의학, 한의학, 치의학, 수의학에 관한 부속병원이 있다. 법제처, 2017, 대학설립·운영규정, 교사시설의 구분 별표2, 국가법령정보센터.

48) Choi, Jaepil, 1990, Reinterpretation of a Social Historian's Work in terms of Current Environment-Behavior Issues, Journal of Environmental Psychology 10, pp.67-77.

49) Hillier, Bill; Hanson, Julienne, 1984, The Social Logic of Space, Cambridge University Press, Cambridge, GB, pp.95-97.

50) 이글에서는 혼동을 피하고자 치과공간은 치의학과 관련된 모든 공간을 지칭하며 모캠퍼스에서 공간적으로 분리, 독립된 경우는 의학캠퍼스, 치의학캠퍼스로, 모캠퍼스 내 공간은 의학센터, 치의학센터로

구분하였다.

51) Guzowski, Mary. Daylighting for Sustainable Design, 1st ed.. McGraw-Hill, New York, 2000, p. 321.

52) Park, Sookyung: Moon, Jeongmin, 2011, A Study on the Space Design Research Tendencies for the Healing Environment-Focused on the Theses of Architecture and Interior Design Institutes, Journal of Korean Institute of Interior Design 20(4), pp. 21-28.

53) Yoo, Jina: Lee, Jungman, 2005, A Study on the Present State and Principles of Architectural Composition for the Healing Environment of the Urban Type Hospital-Focused on Spatial Composition of the Ward and Public Space, The Journal of the Korean Institute of Culture Architecture Annual Conference 7(1), pp. 196-202.

54) Lee, Jinhwa: Kim, Sungwook: Jeon, Youchang, 2013, A Study on the Reconstitution of the Boundary in Projects of Sou Fujimoto, Journal of Architectural Institute of Korea Annual Conference 33(1), p. 123.

55) Yoo, Donggwan: Lee, Youngsoo, 1997, A Study on the Concept and Space Compositional Characteristics of Raumplan, Journal of Architectural Institute of Korea Annual Conference 17(2), pp. 357-363.

56) Yoo, JA., & Lee, JM. (2005). A Study on the Present State and Principles of Architectural Composition for the Healing Environment of the Urban Type Hospital-Focused on Spatial Composition of the Ward and Public Space. The Journal of the Korean Institute of Culture Architecture Annual Conference 7(1), 196-202.

57) Lee, SH., & Yun HJ. (2016). A Study on Introduction of Nature in Le Corbusier's Architecture, Korea Institute of Ecological Architecture and Environmne Journal 16(1), 121-130.

58) Kim, KH. (2006). A Study on Characteristics of Healing Environment in the Late Work of Frank Lloyd Wright. Journal of Korea Institute of Healthcare Architecture 12(1), 41-48.

59) Suh, JY. (2006). A Study on the Phenomenological Centrality shown in Spatial Organization of Contemporary Architecture since 1960s. Korean Institute of Interior Design Journal 15(2), 62.

60) Ishigami, J. (2015). Another Nature (Harvard GSD Studio

Reports). Harvard University, Graduate School of Design 13.
61) https://www.dkuh.co.kr/html_2016/01/01
62) 암센터는 현재 공사 중으로 건축계획과 설계도면에서 나타난 내부 옥상정원과 조망 방향을 포함하였다. 추후 준공 시 구체적인 분석이 보완될 것이다.
63) https://dudh.dankook.ac.kr/history.html
64) Hillier, B., & Hanson, J. (1984). The Social Logic of Space, Cambridge University Press, pp.95-97에서 처음 사용되었다.
65) Choi, JP., & Cho, HK., & Choi, HC., & Cho, YJ. (2004). Reinterpretation of ERAM Theory based on a Stochastic Process and its Empirical Test, Journal of Architectural Institute of Korea Planning & Design 20(11), pp.115-117에서 설명하였다.